改訂第2版

PTスタートガイド
基礎理学療法概論
Introduction of Basic Physical Therapy

監修
網本　和
仙台青葉学院大学 リハビリテーション学部 教授

編集
加藤宗規
了德寺大学 健康科学部 理学療法学科 教授

MEDICAL VIEW

Start Guide for Physical Therapist : Introduction of Basic Physical Therapy, 2nd edition
(ISBN 978-4-7583-2256-0 C3047)

Chief Editor : AMIMOTO Kazu
Editor : KATO Munenori

2018. 2. 10   1st ed
2024. 1. 10   2nd ed

©MEDICAL VIEW, 2024
Printed and Bound in Japan

Medical View Co., Ltd.
2-30 Ichigayahonmuracho, Shinjyukuku, Tokyo, 162-0845, Japan
E-mail   ed@medicalview.co.jp

改訂第2版 監修の序

　本書の初版が発刊されてから，6年の年月が流れました．この間，理学療法士養成にかかわる重要な規則である「指定規則」の大幅な改正があり，新しい教育内容が実施されています．また医療・医学の進歩により必要とされる基本的知識，技術も増加しています．このような情勢を背景として，本書も第2版において相当の改訂と追加を行いました．

　初版は大きく5部構成でしたが，第2版では13章で構成されています．特に「理学療法の方法」にはⅠとⅡの二つの章を割り当て，初版にはなかった「基本動作練習」の項を追加しています．基本動作練習は，その名の通り理学療法における基本中の基本であり，本書に相応しい内容になっています．さらに，新しい指定規則に準じて，「理学療法士の倫理と適性」に第8章と9章を当て，職業倫理に加え「接遇」「ハラスメント」に関する項が記述されています．臨床実習において役立つと考えられます．また，第2版では多くの新しい執筆者に参加していただき，新鮮な視点からの解説をいただきました．初版もわかりやすい図と簡潔な説明がありましたが，第2版では一層理解しやすいようにフルカラーで多くの図解を取り入れています．

　初版でも述べましたが，理学療法学を学ぶためには，理学療法の「基礎」をまず十分に理解することが必要です．理学療法の領域は，神経系，骨関節系，呼吸循環系などとても幅広く，さらにそれらに対応する技術の点でも多くの手法・治療法が考案されています．本書は，このような「基礎」のなかでも欠くことのできない領域，項目で構成され，内容は簡明でわかりやすさを主眼において記述しました．したがって，本書に記述された事項を一つのスタートラインとしてさらに発展的に調べ，その意義を検討し，主体的に学習することを期待するものです．これが本書の名称である「スタートガイド」の持っている意味です．

　障がいを持った人たちに何らかの支援，貢献をしたいという高い志（こころざし）をもって理学療法士になろうとする皆さまにとって，本書はそのガイド役を担うことができるものと確信しています．

2023年12月

仙台青葉学院大学
網本　和

改訂第2版 編集の序

　2017年（平成29年）12月に本書の初版が刊行され，ちょうど6年の歳月が経ちました。この間，年号も平成から令和に移行し，日本では高齢者のますますの増加に対して，18歳人口や出生数をはじめとした未来の社会を支える若い世代の減少に歯止めが効かない状況です。一方，日本を含め世界中で新型コロナウイルス感染症（COVID-19）により人と経済の動きが一気に低迷し，さらに追い打ちをかけるかのようにウクライナとロシア，イスラエルとパレスチナの問題も世界を巻き込み，先行きが見えず，未来に不安と緊張を与える不安定な時代に突入した激動の時代に突入したと感じます。

　しかし，そのような状況でも医療や介護の問題は待ってはくれず，容赦なく私たちに降りかかってきます。そのようななかで，より費用対効果の効率がよいリハビリテーションによって，病院や診療所などでは医療保険の費用軽減を図ることが求められ，介護保険の分野に従事する理学療法士も増加しています。そのほか，フィットネスや介護予防，スポーツ，さらには一般企業や行政機関に勤務する理学療法士も徐々に増えており，理学療法士及び作業療法士法の範疇を超えた職域で理学療法士が活躍しています。

　そこで今回の改訂にあたり，おそらく病院や診療所などの医療現場で働く仕事として理学療法士をイメージして養成施設に入学してくれた学生の皆様が，入学当初に理学療法と理学療法士について広く知ることにより，その世界の「素晴らしさ」や「やりがい」をさらに実感し，これからの学びへの意欲を高めてもらうことを願って臨みました。また，臨床実習や国家試験を含めた在学中の学びを理解し，見通しを持って学んでいくことができるように，執筆者全員が想いを共有して執筆を進めてきました。

　具体的には，①より広く理学療法士とその仕事，現況と将来の展望を理解すること，②本格的に理学療法を学ぶうえで基礎となる用語や考え方を理解すること，③在学中の二大関門と思われがちな臨床実習と国家試験を理解すること，④根拠のある理学療法を選択・創出するための用語や考え方を理解すること，⑤人と接する仕事として必要な身だしなみなどを理解すること，の5つを目標に，初版から大幅な改訂を行いました。

　このように大幅な改訂を行い，無事に刊行を迎えることができましたのも，メジカルビュー社の多大なるご理解とご協力によるものでした。担当者として改訂の企画と編集にご尽力いただきました間宮卓治氏はじめメジカルビュー社の方々に感謝いたします。

　夢と希望を抱いて入学し，理学療法士を目指してくれた皆様が，こころざし半ばで挫折して夢をあきらめることなく理学療法士国家試験に合格すること，および理学療法士として人生を歩んでいき，理学療法士になって良かったと思ってくれることを執筆者一同，心より願っています。いずれ同じ理学療法士として，多くの方々と社会に貢献できることを楽しみにしています。

2023年12月

了德寺大学
加藤宗規

初版　監修の序

　本書を開こうとする読者は理学療法を志し，はじめての専門領域に一歩を踏み入れようとしている方々であると思います。皆さんが「理学療法」を知るようになったきっかけは何だったでしょうか？　いろいろなスポーツ，部活動などで自分自身が怪我をして理学療法を受けた経験，家族や親戚が病に倒れ，その看病やリハビリテーションにかかわった経験，あるいは障害をもった人達とのボランティア活動への参加，などさまざまな契機があると思います。おそらく最初は「人の役に立ちたい」という漠然とした思いを抱き，そして徐々に理学療法という分野・領域が自分に合っている，やってみたいという気持ちを高め，多くの情報から選択し比較的困難な受験勉強を乗り越えてたどり着いたのではないでしょうか。

　しかしここはゴールではありません。

　これから始まる長い道のりのスタートラインなのです。

　理学療法に限りませんが医療関係職は，資格取得（国家試験に合格）するまではもちろん，その後も絶えず進歩する医科学に対応するため，ずっと学習を継続することが求められています。自分自身が疾病や障害をもったとき，どのような人たちに診てもらいたいと思うでしょうか。言うまでもなく，最良で最新の知識・技術をもった人に治療してもらいたいと考えることは当然です。このような学習継続の源流となるのが，本書でこれから記載される「基礎」理学療法なのです。例えば「英語」を修得しようとするとき，アルファベットや単語の理解なしには到底前進できないように，理学療法を学ぶにあたっても「基礎」をまず十分に理解することが必要です。実は，理学療法のカバーする領域は，疾患・障害でいえば新生児，成人，高齢者の各年代において神経系，骨関節系，呼吸循環系などとても幅広いのです。さらにそれらに対応する技術の点でも多くの手法・治療法が考案されており，一口に「基礎」といってもすべてを網羅することは難しいのです。

　本書は，このような「基礎」の中でも欠くことのできない領域，項目で構成され，内容は簡明でわかりやすさを主眼において記述したため，上述のようにすべての知識を詰め込んだものではありません。むしろ本書に触発されてさらに発展的に調べ，その意義を検討し，主体的に学習することを期待するものです。本書を手掛かりとした継続的・主体的学習の向こう側に，理学療法の楽しさ，やりがい，そしてまさに「人のために役立つ」よろこびが得られるとすればこんなにうれしいことはありません。

2017年12月

首都大学東京
網本　和

初版　編集の序

　理学療法学科に入学してきた学生が最初に学ぶ専門科目は，理学療法，理学療法士の資格や仕事を学ぶ"理学療法概論"あるいは"基礎理学療法学"などと称する科目です。今や理学療法士の仕事や専門性は"医療"，"医師の指示の下で"，"身体機能回復"という従来の枠組みには収まらず，多様な疾患，病期，施設，分野に理学療法士が従事しているのが現状です。それをわかりやすく伝え，理解してもらうことが，理学療法のスタートラインに立った学生たちに必要ではないかと思います。

　学生たちに「理学療法士を目指してくれるみんなを歓迎します」，「理学療法士の世界にようこそ」と胸を張り，自信をもって迎えてあげる，学生も「理学療法士を目指し，入学してよかった」，「理学療法士は自分が思っていたよりもさらに多方面に活躍の場があり，いろいろな分野の知識・技術を学んでいくことが楽しみだ」と目を輝かせて90分の授業時間に臨んでくれる授業にするためには，難しい定義や歴史よりも多様な理学療法士の世界を冒頭で紹介したい，それも写真や図表を積極的に活用して実際の場面がイメージできるようにしたいとの思いを抱いていました。そのような折，網本　和先生にご監修いただき，メジカルビュー社の多大なるご理解とご協力により，本書を刊行することができました。担当者として企画と編集にご尽力いただきました北條智美氏，間宮卓治氏はじめメジカルビュー社の方達に深謝いたします。

　また，本書にはもうひとつ願いを込めました。本書を企画・作成した2017年には，「理学・作業療法士学生，指導役と相次ぐトラブル　養成課程・実習環境，見直しへ」との新聞報道がありました。そこで，実習で過大な精神的・身体的ストレスを抱え込み，メンタル面の変調を来すといった学生が，もう二度と現れないことを願って，本書には臨床実習の章を設けました。

　夢と希望をもって入学し，理学療法士への道をスタートした学生たちにとって，その道のガイドとなり，理学療法・理学療法士をより理解し，これからの学習を楽しみにしてくれる，実習に対する不安を期待に変えてくれる，そんな動機付けに本書が役立ってくれることを執筆者一同，心より願っています。そして，いずれ同じ理学療法士として，多くの人たち，さらには社会に貢献できる日を迎えることを楽しみにしています。

2017年12月

了德寺大学
加藤宗規

CONTENTS

第1章 イントロダクション／理学療法士Ⅰ

理学療法士の仕事 　　　加藤宗規 —— 2
1. 【理学療法士及び作業療法士法】第二条（定義），第十七条（名前の使用制限）
2. 基本的動作（基本動作練習・日常生活活動練習）
3. 治療体操などの運動（運動療法）
4. 電気刺激，マッサージ，温熱その他の物理的手段（物理療法・徒手療法）

理学療法の対象 　　　加藤宗規 —— 4
1. 病気（疾患）：主に医療保険下での対象
2. 日常生活状態：主に介護保険下での対象
3. その他

理学療法士の現状 　　　加藤宗規 —— 6
1. 理学療法士の数
2. 理学療法士の給与

理学療法士の仕事・活躍の場 　　　加藤宗規 —— 8
1. 病院・診療所
2. 障害者（児）支援施設
3. 通所や訪問リハビリテーション施設，介護保険施設など
4. 介護・疾病予防
5. スポーツへの関わり
6. 市役所など行政機関や地域包括支援センターなど
7. 学校，大学院，研究機関
8. 企業，団体

第2章 リハビリテーションと関連職種／理学療法士Ⅱ

理学療法士の定義と意義 　　　磯崎弘司 —— 12
1. 理学療法とは
2. RPT
3. 理学療法の意味・必要性
4. 理学療法哲学

理学療法士への道 　　　安中聡一，長沼　誠 —— 14
1. 理学療法士養成施設の種類
2. 臨床実習とは
3. 国家試験

リハビリテーションと関連職種 　　　大森圭貢 —— 18
1. 代表的なリハビリテーション関連職種
2. 回復期リハビリテーション病院でのカンファレンスの様子

第3章　理学療法の方法 I

筋力増強トレーニング　　五味雅大　20
1. 筋力
2. 筋力低下
3. 筋力増強トレーニング

麻痺の回復促進　　五味雅大　22
1. 運動麻痺とは
2. 運動麻痺の回復

関節可動域運動・ストレッチング　　古川順光　24
1. 関節可動域（ROM）
2. ROM制限
3. 関節可動域運動（ROM ex.）
4. ストレッチング

物理療法・徒手療法　　金子千香　26
1. 物理療法とは
2. 徒手療法とは
3. 疼痛と物理療法
4. 筋緊張異常と物理療法

バランス　　沼尾　拓　30
1. 感覚
2. 高次脳機能
3. 立ち直り反応
4. 平衡反応
5. 運動学習

基本動作練習 I　　新永拓也　32
1. 臥位（背臥位・側臥位・腹臥位）
2. 座位・立位
3. 寝返り・起き上がり
4. 立ち上がり
5. 歩行
6. 移乗動作

第4章　理学療法の方法 II

基本動作練習 II　　加藤宗規　34
1. 基本動作と身体機能
2. 基本動作と学習

義肢・装具／車いすや杖の検討　　金子千香　36
1. 義肢
2. 装具
3. 車いすの種類
4. 杖の役割と種類
5. 歩行器について

日常生活活動練習　　加藤宗規　40
1. 日常生活活動（ADL）
2. 日常生活関連動作（APDL）
3. 拡大日常生活活動
4. 理学療法と日常生活活動練習

第5章 理学療法の対象の理解 Ⅰ

廃用症候群
大森圭貢 ── 44
1. 廃用症候群でみられるさまざまな症候
2. 廃用症候群による悪循環

神経疾患Ⅰ：中枢神経疾患（脳卒中）
加藤宗規 ── 46
1. どんな病気？
2. 麻痺側下肢の運動
3. 座位バランス練習
4. 関節可動域訓練
5. 筋力トレーニング
6. 歩行練習
7. トイレ動作練習

神経疾患Ⅱ：中枢神経疾患（パーキンソン病）
内田 学 ── 48
1. 黒質の変性
2. 強剛
3. 振戦
4. 姿勢反射障害
5. 無動
6. すくみ足
7. 進行性
8. 運動療法

神経疾患Ⅲ：中枢神経疾患（脊髄損傷）
森田智之 ── 50
1. 脊髄の損傷部位と麻痺が生じる身体部位の関係
2. 関節可動域練習
3. 長座位バランス練習
4. 端座位バランス練習
5. 起居動作練習
6. 移乗動作練習
7. 車いす駆動練習
8. 褥瘡予防教育

整形疾患Ⅰ：変形性膝関節症
岡安 健 ── 52
1. 変形性膝関節症の基礎知識
2. 変形性膝関節症の関節所見と進行度
3. 変形性膝関節症の治療方法
4. 変形性膝関節症の理学療法

整形疾患Ⅱ：スポーツ外傷・膝の靱帯損傷
加藤宗規 ── 54
1. 膝の靱帯
2. 靱帯断裂
3. ACL再建術
4. 理学療法
5. 急性期対応

第6章 理学療法の対象の理解 Ⅱ

小児疾患
松田雅弘 ── 56
1. どんな病気？
2. 寝返り練習
3. 体を起こす練習
4. 四つ這い位練習
5. 床座位練習
6. 床からの立ち上がり練習
7. 端座位保持練習
8. 立位保持練習
9. 歩行練習
10. 発達に応じた支援

内科的疾患Ⅰ：呼吸器疾患と循環器疾患　　　加藤宗規　── 58

1. 内部障害をイメージする
2. 慢性閉塞性肺疾患（COPD）
3. 呼吸器疾患の理学療法
4. 循環器疾患（心筋梗塞，狭心症）
5. 循環器疾患の理学療法

内科的疾患Ⅱ：糖尿病　　　田屋雅信 ── 60

1. 糖尿病
2. 糖尿病の合併症
3. フットケア

その他の疾患：がんなど緩和ケア　　　小林 賢 ── 62

1. がんの症状
2. がんの治療と理学療法
3. がんの治療方針

健康増進：フィットネス，介護予防　　　浅川康吉 ── 64

1. 健康増進法
2. 生活習慣病
3. 健康寿命
4. 地域リハビリテーション活動支援事業
5. 「通いの場」

リラクゼーション，痛みの治療（除痛・疼痛緩和）　　　相澤純也 ── 66

1. リラクゼーション
2. マッサージ，徒手療法
3. 物理療法
4. コミュニケーション，患者教育

第7章　理学療法の実際

理学療法の実際の流れ・思考　　　諸橋 勇 ── 68

1. 理学療法の流れ
2. 臨床推論（臨床思考の過程）
3. 診療記録

エビデンス・EBM/EBPT　　　諸橋 勇 ── 70

1. EBMの成り立ち
2. エビデンスのレベル
3. エビデンスの活用：EBPTの実践
4. 理学療法ガイドライン

ガイドライン，クリティカルパス　　　諸橋 勇 ── 72

1. 診療ガイドライン
2. クリティカルパス

必要な用語・考え方Ⅰ　　　佐野徳雄 ── 74

1. 障がい：ICIDHとICF
2. 国際障害分類（ICIDH）
3. 国際生活機能分類（ICF）
4. 日常生活活動（ADL）
5. 生活の質（QOL）
6. 自立生活運動（IL運動）
7. ノーマライゼーション

第8章 理学療法士の倫理と適性 I

必要な用語・考え方 II　　　新永拓也 ── 80
1. バリアフリーとユニバーサルデザイン
2. 一次予防・二次予防・三次予防

職業倫理　　　大森圭貢 ── 82
1. 公益社団法人日本理学療法士協会による倫理綱領序文
2. 生涯にわたる研鑽

接遇 I　　　加藤宗規 ── 84
1. 身だしなみ
2. 表情・振る舞い
3. 挨拶・言葉遣い
4. コミュニケーション

第9章 理学療法士の倫理と適性 II

接遇 II：医療面接，インフォームド・コンセント　　　武内　朗 ── 88
1. 医療面接
2. 医療面接の基本
3. 面接技術
4. インフォームド・コンセント

ハラスメント　　　武内　朗 ── 92
1. ハラスメント
2. 代表的なハラスメント
3. ハラスメント対策

産業衛生　　　武内　朗 ── 94
1. 産業衛生
2. 産業衛生の目的と役割
3. 安全衛生

第10章 理学療法に必要な研究法

研究デザイン　　　加藤宗規 ── 96
1. 介入研究（実験的研究）と観察研究
2. ランダム化（無作為化）比較試験と非ランダム化（非無作為化）比較試験
3. シングルケースデザイン
4. 分析的観察研究と記述的研究
5. 縦断研究と横断研究
6. 前向き研究と後ろ向き研究
7. コホート研究とケースコントロール研究
8. シングルケーススタディ
9. データ統合型研究

基本統計量・統計　　　井上達朗 ── 100
1. 基本統計量
2. 尺度（Scale）
3. 正規分布と非正規分布
4. 統計学的検定
5. 誤差の種類
6. 第1種・2種の過誤
7. 主な統計手法

感度・特異度　　井上達朗　106
1 感度・特異度
2 尤度比

第11章　理学療法に関わる法令・制度

理学療法士及び作業療法士法・言語聴覚士法　　柊　幸伸　108
1 理学療法士及び作業療法士法
2 言語聴覚士法

医療保険・診療報酬　　柊　幸伸　110
1 日本の医療保険制度
2 疾患別リハビリテーションの診療報酬
3 リハビリテーションの単位・点数

施設基準　　柊　幸伸　112
1 施設基準

地域包括ケアシステム，介護保険　　田中　勝　114
1 地域包括ケアシステム
2 介護保険
3 介護保険サービス
4 地域支援事業
5 住宅改修
6 福祉用具
7 介護報酬

第12章　理学療法の歴史と展望

歴史　　杉原敏道　120
1 理学療法の起源
2 世界の理学療法の歴史
3 日本における理学療法の伝来

理学療法士の団体と役割　　豊田　輝　124
1 日本理学療法士協会（JPTA）
2 都道府県理学療法士会
3 日本理学療法士連盟（JPTF）
4 日本理学療法学会連合（JSPT）

理学療法の需要と供給，展望　　豊田　輝　126
1 厚生労働省PT・OT需給推計
2 JPTA会員数と47都道府県別人口からみたPT需給推計
3 社会におけるPTの今後の展望

世界の理学療法　　柊　幸伸　130
1 日本の理学療法
2 世界の理学療法

第13章 理学療法の安全管理

医療事故・過誤　　　平野正広 ── 132
1. 医療事故と過誤
2. 安全管理・リスク管理／マネジメント

感染予防　　　平野正広 ── 134
1. 感染成立の3要因と対策
2. 感染経路と感染経路別予防策
3. 標準予防策

個人情報保護と記録，報告　　　荒井沙織 ── 136
1. 個人情報保護法
2. 個人情報の種類について
3. 医療従事者の義務
4. 記録と報告
5. 臨床実習で注意する個人情報の取り扱い

救命措置（一次救命処置）　　　大森圭貢 ── 140
1. 一次救命処置（BLS）の流れ
2. 心肺機能停止から蘇生までに要した時間の影響

付録　PTOT法全文

理学療法士及び作業療法士法　　　加藤宗規 ── 142

索引 ── 148

執筆者一覧

監修
網本　和　　仙台青葉学院大学リハビリテーション学部 教授

編集
加藤宗規　　了德寺大学健康科学部理学療法学科 教授

執筆者 (掲載順)

加藤宗規	了德寺大学健康科学部理学療法学科 教授
磯崎弘司	常葉大学健康科学部静岡理学療法学科 教授
安中聡一	郡山健康科学専門学校理学療法学科
長沼　誠	郡山健康科学専門学校理学療法学科
大森圭貢	湘南医療大学保健医療学部リハビリテーション学科理学療法学専攻 教授
五味雅大	帝京科学大学医療科学部理学療法学科 講師
古川順光	東京都立大学健康福祉学部理学療法学科 教授
金子千香	帝京科学大学医療科学部東京理学療法学科 講師
沼尾　拓	社会医学技術学院理学療法学科
新永拓也	帝京科学大学医療科学部理学療法学科
内田　学	東京医療学院大学保健医療学部リハビリテーション学科理学療法学 准教授
森田智之	神奈川県総合リハビリテーションセンター神奈川リハビリテーション病院理学療法科
岡安　健	東京医科歯科大学病院リハビリテーション部 技師長
相澤純也	順天堂大学保健医療学部理学療法学科 先任准教授
松田雅弘	順天堂大学保健医療学部理学療法学科 先任准教授
田屋雅信	東京大学医学部附属病院リハビリテーション循環器内科
小林　賢	慶應義塾大学病院リハビリテーション科
浅川康吉	東京都立大学健康福祉学部理学療法学科 教授
諸橋　勇	青森県立保健大学健康科学部理学療法学科 教授
佐野徳雄	帝京科学大学医療科学部理学療法学科 講師
武内　朗	了德寺大学健康科学部理学療法学科 教授
井上達朗	新潟医療福祉大学リハビリテーション学部理学療法学科 講師
柊　幸伸	国際医療福祉大学保健医療学部理学療法学科
田中　勝	富山医療福祉専門学校理学療法学科 主任
杉原敏道	郡山健康科学専門学校理学療法学科 学科長
十文字雄一	郡山健康科学専門学校理学療法学科
豊田　輝	帝京科学大学医療科学部東京理学療法学科 准教授
平野正広	了德寺大学健康科学部理学療法学科 准教授
荒井沙織	了德寺大学健康科学部理学療法学科 講師

1章 イントロダクション／理学療法士Ⅰ

理学療法士の仕事

POINT

- ✔ 理学療法士（PT：Physical therapist, Physiotherapist）はリハビリテーション（Rehabilitation）に携わる国家資格であり，理学療法（PT：Physical therapy, Physiotherapy）を業務とする。

- ✔ 理学療法士及び作業療法士法❶によると，理学療法の対象は「身体に障害のある者」，目的は基本的動作能力の回復❷，方法は治療体操などの運動❸，電気刺激，マッサージ，温熱その他の物理的手段❹であり，医師の指示の下で理学療法は行うと法的には示されている。理学療法士以外でも理学療法を行うことは可能な名称独占資格である。

❷ 基本的動作能力の回復

❸ 治療体操などの運動

やりがい，喜び，人と直接関わる，人を笑顔にする，人から感謝される，人に寄り添う，人を援助する

❹ 電気刺激，マッサージ，温熱その他の物理的手段

1 【理学療法士及び作業療法士法】第二条（定義），第十七条（名前の使用制限）

「理学療法」とは，身体に障害のある者に対し，主としてその基本的動作能力の回復を図るため，治療体操その他の運動を行なわせ，及び電気刺激，マッサージ，温熱その他の物理的手段を加えることをいう。

「理学療法士」とは，厚生労働大臣の免許を受けて，理学療法士の名称を用いて，医師の指示の下に，理学療法を行なうことを業とする者をいう。

理学療法士以外は理学療法士と名乗ることはできないが，資格がなくても理学療法業務はできる。

➡ 「名称独占」：調理は調理師でなくてもできるが，調理師と名乗ることができるのは調理師だけであるのと同じである。したがって，医師，弁護士，税理士，建築士など資格がないと業務ができない「業務独占」ではない。

2 基本的動作（基本動作練習・日常生活活動練習） ➡ p32, 34, 40

※これに関連して，杖・装具（➡ p36）や車いすなど福祉用具の選定，住宅改修の指導を行う場合もある。

① 基本動作：寝返り，起き上がり，座位（座った姿勢），立ち上がり，立位（立った姿勢），乗り移り（移乗），車いす動作，杖と下肢装具を用いた歩行練習

② 日常生活活動：食事，排泄や風呂動作などの身の回り動作（基本的日常生活活動／狭義の日常生活活動），家事，買い物，交通機関の利用など手段的日常生活活動を実施。必要に応じ各種福祉機器を用いる。

3 治療体操などの運動（運動療法） ➡ p24

筋力低下に対して筋力トレーニング，関節運動の範囲減少（関節可動域制限）に対して関節可動域運動，バランス低下に対してバランス練習，麻痺に対して回復を目指した運動，疾患・症状に応じた治療体操などを実施する。

4 電気刺激，マッサージ，温熱その他の物理的手段（物理療法・徒手療法） ➡ p26

痛みに対して電気刺激を用いた鎮痛（疼痛緩和），筋力低下や麻痺に対して電気刺激で補助しながらの運動（筋力低下の予防として用いる場合もある），痛みに対するマッサージなどの徒手療法を実施する。

クティブラーニングのヒント

▶ 公益社団法人日本理学療法士協会による「理学療法士の仕事」紹介動画を見てみよう！
・理学療法ってなんだろう？ 導入編

② 歩行練習（杖と下肢装具）

階段昇降練習

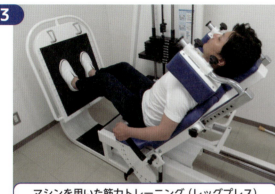
③ マシンを用いた筋力トレーニング（レッグプレス）

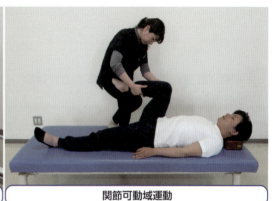
関節可動域運動

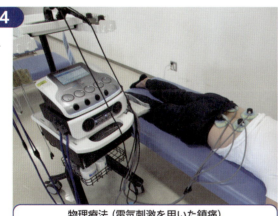
④ 物理療法（電気刺激を用いた鎮痛）

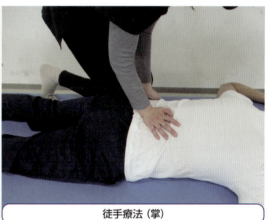
徒手療法（掌）

COLUMN

①リハビリテーション：一般的にも「リハビリ」「リハ」と略して用いられることも多いが，英語では「Rehab（リーハブ）」と略される。

②障害：「障害」の"害"の字は不適切との意見があり，「障碍」「障がい」と表現されることもある。

③理学療法の対象は，医療分野に留まらず，介護分野，さらにはスポーツや健康増進，介護予防など障害のない人たちへと拡大している。

④かなり以前は筋力訓練などと「訓練」という表現を用いていたが，現在は「運動」，「練習」と表現されることが多い。ただし，「筋力増強運動」は一般的に用いられている「筋力トレーニング（筋トレ）」と表現されることも多い。

1章 イントロダクション／理学療法士Ⅰ

理学療法の対象

POINT

- ✓ 本来，理学療法は医師の指示の下で行われる診療補助行為（相対的医行為）であり，障害のある方を対象としている。そのため，（その範疇での）開業権はない。
- ✓ 現在では，медицинский保険**1**に限らず，介護保険**2**や医療保険・介護保険外，さらに，障害のない方**3**へも理学療法の対象分野が広がっている。
- ✓ したがって，年齢，性別，病気や障害の有無にかかわらず，すべての人の姿勢と動作を対象としていると考えられる。

1 病気（疾患）：主に医療保険下での対象

心大血管疾患

急性心筋梗塞，狭心症，開心術後など

脳血管疾患等

脳梗塞，脳腫瘍，脊髄損傷，パーキンソン病など

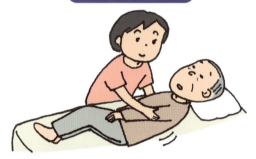
廃用症候群（はいようしょうこうぐん）

病気やケガによる安静による筋力低下など

運動器疾患

骨折，靱帯（じんたい）損傷，変形性関節症など

呼吸器疾患

肺炎，慢性閉塞性肺疾患（まんせいへいそくせいはいしっかん）など

その他

がん，脳性麻痺（のうせいまひ），進行性筋ジストロフィー症，認知症，難病など

2 日常生活状態：主に介護保険下での対象

要支援

将来要介護状態になるおそれがあり，家事や身支度等の日常生活に支援が必要な状態

要介護

常時介護を必要とする状態

アクティブラーニングのヒント

▶公益社団法人日本理学療法士協会による動画を見てみよう！
・笑顔つづく，すこやかな暮らしへ。

3 その他

発達支援

自閉症スペクトラムなど

女性のライフステージ

月経，産前産後，更年期など

加齢

フレイル（虚弱），サルコペニア（筋肉量・筋力低下）など

スポーツ，健康増進，生活習慣病の予防，フィットネスなど

COLUMN　理学療法士には開業権がない？

理学療法士及び作業療法士法では，「身体に障害のある者に対して」「医師の指示の下で」「診療の補助」とあり，病院や診療所を想定していると捉えられ，それ故に「開業権」がないと考えられる。しかし，現実的には対象が広がり，介護予防，フィットネスなど身体に障害のない者を対象にした施設などを開業している理学療法士もいるため，定義とその解釈の見直しが必要かもしれない。

理学療法士の現状

POINT

- ✓ 日本の理学療法士は急増しており，国家試験合格者累計は令和4年（2022年）に20万人を超えた❶。
- ✓ 都道府県別にみると，理学療法士数の人口比には差がある❶。
- ✓ 理学療法士国家試験合格率は平成19年（2007年）までは長く95％前後で推移していたが，その後は低下・変動が目立つ❶。
- ✓ 理学療法士の給与は，特に若い世代ほど増加しているが，50歳代は減少している可能性がある❷。

1 理学療法士の数

理学療法士数は，毎年1回実施される国家試験の合格により増加する。日本の理学療法士数は指数曲線（a＞1）的に急増し，令和4年（2022年）には200,000人を超えるに至った[1]（図1）。

国家試験合格率には変動があり，平成26年度（2014年度）から令和4年度（2022年度）の合格率は74.1％から90.0％であった。

日本の理学療法士数は世界理学療法士連盟に加入する国のなかでアメリカ，ドイツに次ぐ3位であるとされていたが（日本理学療法士協会50年の歴史による：2016年），2023年時点では1位（人数，人数の人口比）の可能性もある。

なお，職場別の理学療法士数は，次項「理学療法士の仕事・活躍の場」に示した。

1) 日本理学療法士協会：統計情報．（https://www.japanpt.or.jp/activity/data/）2023年10月閲覧

図1 理学療法士国家試験合格率，合格者数と累計合格者数の推移

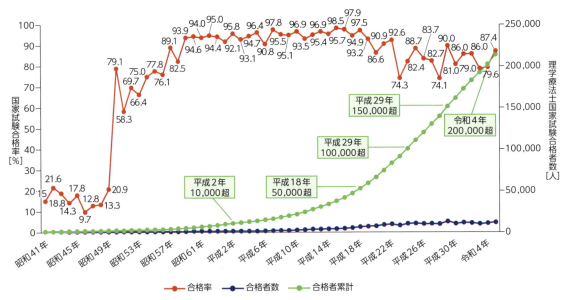

文献1)をもとに作成

● 人口と理学療法士数（p.128 表1・図1参照）

公益社団法人日本理学療法士協会に所属している理学療法士数を人口1万人あたりに換算すると10.6人となる。地域別にみると，西日本が東日本よりも多い傾向がある。都道府県別にみた人口1万人あたりの理学療法士数が多い順の5つは高知県，鹿児島県，徳島県，大分県，熊本県と四国・九州地方に多く，少ない順の5つは東京都，神奈川県，宮城県，栃木県，埼玉県と関東地方の少なさが目立つ。理学療法士は大都市部から増えているわけではないことがわかる。

2 理学療法士の給与

理学療法士の給与は，初任給としては24万円前後であり，大学卒業の平均初任給と同程度である。令和4（2022）年とその5年前の平成29（2017）年の給与[2, 3]を比較すると，年代により差は異なる。ただし，令和4年のデータは通勤手当を含んでいるが20〜40歳代はある程度増加，50歳代は減少している。また，令和4年のデータから，56歳以降は大きく減少しているが，定年・再雇用の影響が考えられる。なお，医療関連の他職種と比較すると収入は高いとは言えない。

2) 人事院：民間給与の実態（平成29年職種別民間給与実態調査の結果）．(http://www.jinji.go.jp/kyuuyo/minn/minnhp/min29_index.htm) 2023年3月閲覧
3) 厚生労働省：令和4年賃金構造基本統計調査（職種）第5表 職種（小分類），年齢階級別きまって支給する現金給与額，所定内給与額及び年間賞与その他特別給与額（産業計）．(https://www.mhlw.go.jp/toukei/itiran/roudou/chingin/kouzou/z2022/) 2023年3月閲覧

アクティブラーニングのヒント
▶ 図1に挙げた項目について，公益社団法人日本理学療法士協会のホームページ内の統計情報から，最新のデータを確認してみよう。
▶ 表2に挙げた理学療法士などの給与について，文献[2, 3]などの最新データがあるかを調べて確認してみよう。

表2 理学療法士の平均支給月額の比較（2017年と2022年）

平成29（2017）年		令和4（2022）年		令和4（2022）年の年収［万円］					
年齢［歳］	支給額［円］	年齢［歳］	支給額［円］	理学療法士*	医師	薬剤師	看護師	診療放射線技師	臨床検査技師
20〜24	226,760	20〜24	243,200	335.78	509.65	381.27	400.35	385.94	320.6
24〜28	241,232	24〜28	261,200	392.04	696.17	464.88	477.04	425.27	415.39
28〜32	257,149	28〜32	280,400	421.41	969.17	564.13	478.87	461.31	467.1
32〜36	275,368	32〜36	304,800	455.49	1420.93	608.07	505.83	526.07	526.05
36〜40	296,611	36〜40	328,300	497.58	1474.56	630.41	529.74	601.15	511.63
40〜44	311,924	40〜44	339,500	517.99	2005	641.22	565.36	608.13	576.16
44〜48	330,342	44〜48	337,600	515.04	1817.13	665.6	566.38	673.45	658.78
48〜52	384,568	48〜52	376,100	570.18	1881.68	717.39	578.45	701.79	711.11
52〜56	443,216	52〜56	320,300	462.83	1824.92	582.3	483.11	509.65	511.7
56〜	449,231	56〜	300,500	466.94	1846.42	516.47	393.94	516.49	272.4
		70〜	—	—	1588.8	557.74	395.53	358.36	241.54

*理学療法士・作業療法士・言語聴覚士・視能訓練士

文献2・3）をもとに作成。単位を千円から円に変換，支給額は所定内給与（時間外手当は含まないが通勤手当は含む），年収は「きまって支給する現金給与額（手当含む）×12＋年間賞与その他特別給与額」を算出

アクティブラーニングのヒント
▶ 理学療法士の求人をいくつか検索して，求人票から待遇を確かめてみよう。
▶ 公益社団法人日本理学療法士協会のホームページを検索して，統計情報に掲載されている最新の国家試験合格者数と合格率，会員分布（施設の種類別会員数）を調べてみよう。

1章 イントロダクション／理学療法士Ⅰ

理学療法士の仕事・活躍の場

POINT

- 理学療法士及び作業療法士法によると，「理学療法」は，「身体に障害のある者」を対象に，「医師の指示の下」に行われるため，医療施設を想定していると考えられる。
- 資格誕生当初は，理学療法士が働く職場のほとんどは病院や診療所❶の医療の現場であった。
- そして，障害者（児）支援施設❷，通所や訪問リハビリテーション施設❸，介護・疾病予防❹ に職域が拡大していった。
- さらに，スポーツへの関わり❺，市役所など行政機関や地域包括支援センター❻など多方面に拡大している[1]。
- また，理学療法士養成校の増加，大学院開設により教員数も増加❼，および，医療や介護関連企業だけでなく一般企業❽にも広がり，理学療法士は広く社会に貢献している。

理学療法士の施設別就業者・施設数

施設	人数［人］	施設数
❶ 病院・診療所	87,508	12,164
❷ 障害者（児）支援施設	1,475	816
❸ 通所や訪問リハビリテーション施設，介護保険施設など	17,004	9,262
❹ 介護・疾病予防	181	139
❺ スポーツへの関わり	26	23
❻ 市役所など行政機関や地域包括支援センターなど	747	522
❼ 学校，大学院，研究機関	2,954	498
❽ 企業，団体	1,555	989

文献1）をもとに作成

1) 日本理学療法士協会：統計情報．(https://www.japanpt.or.jp/activity/data/) 2023年12月閲覧

❶ 病院・診療所

医療施設のうち，病院は病床が20床以上，診療所は病床が0～19床である。診療所は医院，あるいはクリニックともいわれる。

病気になってからの時期と病床機能により，急性期，回復期，慢性期（終末期含む）などに分けられ，リハビリテーションの目的や内容も変化する（図1）。

COLUMN 回復期リハビリテーション病棟

リハビリテーションを中心に提供する病棟である「回復期リハビリテーション病棟」の制度が2000年に施行され，多くの理学療法士が勤務する場となっている。

定義	「回復期リハビリテーション病棟は，脳血管疾患又は大腿骨頸部骨折等の患者に対して，日常生活活動の向上による寝たきりの防止と家庭復帰を目的としたリハビリテーションを集中的に行うための病棟であり（以下略）」（厚生労働省）
対象	対象となる病気（疾患），病気になってからの期間，病気ごとの1日最大リハビリテーション実施時間（保険請求できる単位数：1単位は20分）と最大入院日数が決まっている
特徴	365日体制でリハビリテーションが提供されることも多く，病院に100人以上の理学療法士が勤務している場合もある

図1　病気になってからの時間経過と状態（イメージ）

急性期
発症後間もなく，症状の変化が激しい全身状態が不安定な時期。
➡状態の早期安定化に向けて，医療を提供する

主に急性期病院

急性期リハビリテーション

回復期
急性期が過ぎ症状と全身状態が安定し，身体機能の回復が期待できる時期。
➡基本的には家庭復帰（自宅退院）を目標に身体機能の回復を目指す

主に回復期リハビリテーション病棟（回復期病院）

回復期リハビリテーション

慢性期（維持期）
回復が収まり，生活のなかで治療や機能維持を図る時期。
➡生活の場で治療やリハビリテーションを継続する

主に家庭，介護施設。療養が必要な場合は療養型病院・医療介護（慢性期病院）

維持期（生活期）リハビリテーション

終末期
慢性期のなかで，末期癌などにより，近く予想される死に対応する時期
➡病院
　終末期リハビリテーション

時間経過 →

2　障害者（児）支援施設

障害児や障害者が利用する施設でもリハビリテーションが行われる場合がある。

障害児入所施設	障害のある児童を対象として，入所により保護，日常生活の指導および生活の自立に必要な支援を行う施設。以前は障害種別ごとに分かれていた
障害児通所施設	児童発達支援センター，児童発達支援・放課後等デイサービスなど通所や訪問により発達支援を行う施設。近年，施設数が増加している
障害者支援施設	障害者を対象として，日常生活上の支援（夜間：施設入所，昼間：介護，自立訓練，就労移行支援など）を行う施設

3　通所や訪問リハビリテーション施設，介護保険施設など

自宅や施設などで生活している方がリハビリテーションを行う施設，あるいはリハビリテーションを含めて自宅復帰の準備をする施設で働く理学療法士も増えてきている。

● **通所リハビリテーション（デイケア）施設**

要介護者（「介護保険」p.115参照）が日帰りで通い，リハビリテーションを行う施設で，送迎がついている場合が多い。通所リハビリテーションの事業者指定を受けた株式会社やNPO法人などの法人のほか，介護老人保健施設，病院，診療所等に併設されている場合もある。

- **介護老人保健施設**

　老人保健施設，略して老健ともいう。介護を必要とする高齢者の自立を支援し，家庭への復帰を目指すために，ケアに加えてリハビリテーション等を提供する施設。長期，終身の入所施設ではない。入所施設であるが，通所や訪問リハビリテーションを実施しているところが多い。

- **特別養護老人ホーム**

　略して特養ともいう。正式名称は介護老人福祉施設であり，在宅での生活が困難で介護を必要とする高齢者に対して介護を提供する施設。入所施設であるが，通所リハビリテーションを実施しているところが多い。

> **COLUMN**
>
> **介護保険施設**
>
> 　要介護者が介護保険を利用して入所（利用）する施設。介護老人保健施設，特別養護老人ホームのほか，介護医療院がある。介護医療院は長期療養と生活（介護）を兼ね備えた入所施設で，従来の介護療養型医療施設（療養病床）も介護医療院に転換される予定である（2024年3月末まで）。
>
> **通所介護（デイサービス）施設**
>
> 　通所介護（デイサービス）施設は，日帰りで通い，日常生活の支援を行う施設であり，孤立感の解消や心身機能の維持，家族の介護の負担軽減を目的としている。心身機能の維持として機能訓練が行われるが，理学療法士でなくても，作業療法士，言語聴覚士，看護職員，柔道整復師，あんまマッサージ指圧師（これらを総括して「機能訓練指導員」）でもよい。通所介護は介護・生活支援，通所リハビリテーションは医療・リハビリテーションの場といえる。

- **訪問リハビリテーション施設**

　「訪問リハビリサービス」の指定を受けた病院，診療所，介護老人保健施設，介護医療院。訪問リハビリテーション施設のほかに，訪問看護ステーションで訪問リハビリテーションを行っている場合もある。

> **COLUMN**
>
> **訪問リハビリテーションの実施施設と利用保険**
>
> 　実施施設は訪問リハビリテーション施設と訪問看護ステーションの2種，利用する保険は介護保険と医療保険の2種があり，それらにより若干料金や利用時間と頻度が異なる。

- **居宅介護支援事業所**

　介護保険サービスの利用計画（ケアプラン）を作成する支援を行う事業所で働く理学療法士も出現している。

> **COLUMN**
>
> **理学療法士が介護支援専門員になるには**
>
> 　理学療法士として5年以上かつ900日以上の勤務実績があれば受験資格が得られる。医療に関する国家資格（具体例省略），生活相談員，支援相談員，相談支援専門員，主任相談支援員も同様の条件である。なお，介護支援専門員は国家資格ではなく各都道府県が管轄し試験を実施する公的資格である。

4 介護・疾病予防

　フィットネス（体力増進，健康増進），病気の予防（疾病予防），介護予防を目的にフィットネスクラブやジムなどの施設で実施される。

5 スポーツへの関わり

病院や診療所をはじめ，学校やスポーツチームにおいてスポーツに関わるほか，選手個人と契約して関わる場合もある。スポーツへの関わりが主である理学療法士はまだ少数である。

6 市役所など行政機関や地域包括支援センターなど

理学療法士の知識や技術を活かして行政機関などで働く理学療法士も見受けられる。

行政機関	国，都道府県，区市町村の役所など
地域包括支援センター	市町村が設置主体し，住民の健康保持，生活安定に必要な援助を行う。保健師・社会福祉士・主任介護支援専門員等が配置されている

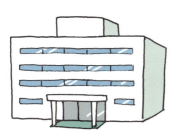

7 学校，大学院，研究機関

理学療法士養成施設などの学校や大学院の教員となる理学療法士，あるいは関連した各種研究機関で働く理学療法士も増えてきている。

理学療法士養成校	大学，専門職大学，短期大学，専門学校（教員）
特別支援学校	教員免許を取得していなくても，特別免許状の取得，あるいは自立活動教諭免許（肢体不自由）の取得により，理学療法士が入職できる方法がある

8 企業，団体

住宅改修や福祉用具などを扱う企業などの医療・福祉や介護関連企業，一般企業や公社）日本理学療法士協会や都道府県士会などで働く理学療法士も見受けられる。

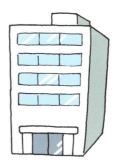

🅐 クティブラーニングのヒント

▶公益社団法人日本理学療法士協会による動画を見てみよう！

医療施設において：			介護施設や在宅において：		健康増進や予防において：		教育現場や研究において：	
急性期編	回復期編	社会復帰編	訪問編	自立支援編	健康増進編	介護予防編	教育編	研究編

2章 リハビリテーションと関連職種／理学療法士Ⅱ

理学療法の定義と意義

POINT

✓ **理学療法❶**は，病気，けが，高齢，障害などによって運動機能が低下した状態にある人々に対し，運動機能の維持・改善を目的に運動，温熱，電気，水，光線などの物理的手段を用いて行われる治療法と定義されている。

✓ 国家資格を持った理学療法士を，**RPT❷**（registered physical therapist 登録された理学療法士）という。

✓ **理学療法の意味・必要性❸**について，理学療法は治療技術の総称であり，リハビリテーションスタッフのなかで理学療法士は，運動学的観察・分析，原因の抽出とその治療介入を専門としている。

✓ **理学療法哲学❹**として，理学療法士は障害について理解し，障害のある人の不自由や苦悩を理解し，生き甲斐をサポートし自己の生き甲斐とする。理学療法は支える医療である。

1 理学療法とは
『理学療法士及び作業療法士法』[1)]
第1章-第2条-（定義），1965年制定

「理学療法」について，理学療法士協会は理解しやすい表現として，理学療法とは「病気，けが，高齢，障害などによって運動機能が低下した状態にある人々に対し，運動機能の維持・改善を目的に運動，温熱，電気，水，光線などの物理的手段を用いて行われる治療法（図1）」と述べている[2)]。第1章 (p.2) も参照。

『理学療法士及び作業療法士法』は「法の目的（総則）」「免許」「試験」「業務等」「試験委員」「罰則」の全6章からなる。第2章「免許」の第4条に欠格事由が定められ，この項に該当する者には免許を与えないことがある（詳しくは付録p.142を参照）。

1) 厚生労働省：理学療法士及び作業療法士法，1965.
2) 奈良　勲ほか：理学療法概論，第7版，医歯薬出版，2019.

図1 理学療法を構成する基本技術

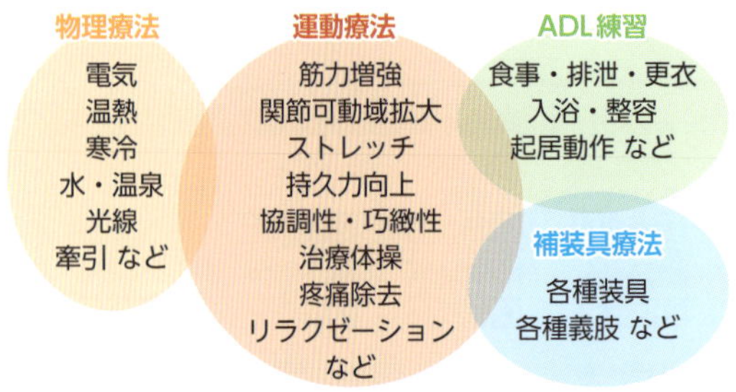

物理療法
電気
温熱
寒冷
水・温泉
光線
牽引　など

運動療法
筋力増強
関節可動域拡大
ストレッチ
持久力向上
協調性・巧緻性
治療体操
疼痛除去
リラクゼーション
など

ADL練習
食事・排泄・更衣
入浴・整容
起居動作　など

補装具療法
各種装具
各種義肢　など

2 RPT (Resistered Physical Therapist)

RPT＝登録された理学療法士，国家資格を持った理学療法士の意味。理学療法士養成校の学生は，PTS (physical therapist student) とよぶ。

国家資格を持つ理学療法士の就職先は，約3/4が病院・診療所，次いで通所・訪問リハ・老人保健施設が15％程度である[*1]（p.8参照）。

国家資格を持つ理学療法士には，理学療法士作業療法士法により罰則規定が定められ，法規定に違反した場合は罰則を受ける。日本理学療法士協会は理学療法士会員に対する『職業倫理ガイドライン』[3)]において，診療にあたる責務のみならず，研究や教育において医療に携わる一員として，「人格，倫理および学術技能を研鑽し，わが国の理学療法普及向上を図り，もって国民の医療・保健・福祉の増進に寄与する」必要があるとし，17項目の遵守事項を定めている。

3) 社団法人日本理学療法士協会 倫理委員会：理学療法士の職業倫理ガイドライン，2012.

3 理学療法の意味・必要性

「リハビリテーションとは，人間たるにふさわしい権利・資格・尊厳・名誉が何らかの原因により傷つけられた人に対し，その権利・資格・尊厳・名誉を回復することを意味する」（図2）。リハビリテーションは「全人間的復権」と一言で表される概念・理念である[*2]。

日本では旧来のリハビリテーションに関する誤った理解を正すため，1981（昭和56）年の厚生白書に，「リハビリテーションとは障害者が一人の人間として，その障害にもかかわらず人間らしく生きることができるようにするため技術および社会的，政策的対応の総合体系であり，単に運動障害の機能回復訓練の分野だけをいうのではない」と述べられている[4]。

理学療法の中心的学問は解剖学・生理学を基礎とする運動学（骨・関節・力学）と，事故や疾病などにより生じる障害学である。理学療法は，たとえば歩行において人体が全体・部分的にどのように動くかを運動学的に分析し，いかに障害の影響を除く・軽減できるか治療するものである。

理学療法の治療法は，人間の生活動作・運動を理学療法士の視点（運動学的視点）で観察・分析し，問題点を抽出し対応〔治療介入＝理学療法治療技術（図1）〕することである。==リハビリテーションスタッフの中で理学療法士は，運動学的観察・分析，原因の抽出とその治療介入を専門==としている。

4）厚生労働省：リハビリテーションの理念．厚生白書（昭和56年版），1981.

図2　医療・保健・福祉とリハビリテーション

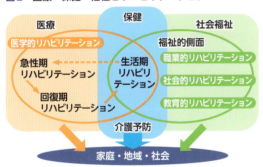

（椿原彰夫：リハビリテーション総論，改訂第3版，P5図A-2-1，医歯薬出版，2017.より引用）

4 理学療法哲学

医療分野で医学・看護・薬学に関する哲学は存在するが，理学療法哲学については明言されていない[5]。理学療法士の専門性・存在意義は，臨床での障害分析と対応（治療）である。奈良は2002年に臨床の意義を「少しでもよりよい理学療法を提供したいと願うとき，そして，それぞれの個性と個体差のある対象者に対して個別的に介入するとき，そのつど，理学療法士としての存在あるいはあり方が問われている」と述べている[6]。

理学療法士は，前述のリハビリテーション理念を持ち，運動学と障害学を基本とする視点と種々の治療技術で障害に対応することを業とする。理学療法に対する効果・満足度評価は，理学療法の対象者各々が行うものであり，==真実の瞬間は対象者と対峙し対応するとき==であり，その内容・結果により満足度が評価される。そのとき，その瞬間の理学療法士の言動のすべてが理学療法結果を左右する。

==理学療法は「施す医療」ではなく「支える医療」である。理学療法士は障害自体と障害のある人の不自由や苦悩を理解し，生き甲斐をサポートすることを自己の生き甲斐とするマインドを持つ仕事である。==

5）堀　寛史：科学的根拠と技能．臨床哲学 19：45-63，2018.
6）奈良　勲：理学療法の本質を問う，p41，医学書院，2002.

アクティブラーニングのヒント

▶『理学療法士及び作業療法士法』の，「第一章：総則」「第二章：免許」「第四章：業務等」を確認してみよう。
▶公益社団法人日本理学療法士協会による『理学療法士の職業倫理ガイドライン』を確認してみよう。

COLUMN

*1 理学療法士の就職先は，病院やクリニック・老人保健施設，通所リハビリテーション施設，訪問看護施設のみならず，企業や健康産業にまで広がっている。理学療法士の社会的ニーズが広がることは，大変喜ばしいことである。一方このことは，医療業界以外の他業種との切磋琢磨や軋轢が生じる。理学療法は，名称独占であり業務独占でない。このことを理解し理学療法士は，医療業界以外で専門性を生かし多職種との差異を明確化し，医療行為以外でも必要とされる存在であるべき努力と実績が必要である。

*2 病院や老人福祉施設を利用・訪問すると「今からリハに行く」「リハを受けてきた」などの言葉を耳にする。リハ＝リハビリテーションを意味して使われているが，本来リハビリテーションは「全人間的復権」の理念であり，日本で一般的に使用されている意味とはまったく異なっている。正しくは「今から理学療法に行く」「理学療法を受けてきた」である。理学療法（physical therapy）は，治療技術の総称である。

理学療法士への道

POINT

- 理学療法士養成施設には**3年課程と4年課程**があり,施設の種類は**大学,専門職大学,短期大学,専門学校**❶である。
- 養成施設の卒業要件として**臨床実習**❷があり,実際の臨床現場において一定時間の学習を行い,理学療法士の業務を学ぶ。
- 臨床実習では,指導者の指示・監視下で,対象者の安全に配慮しつつ,診療チームの一員として指導者とともに理学療法行為の一部を経験する。
- **国家試験**❸は年に1回開催され,280点満点のうち6割以上の正答で合格となる。

1 理学療法士養成施設の種類

 日本の理学療法士国家試験の受験資格として,「3年以上理学療法士として必要な知識及び技能を修得したもの」と定められていることから,養成施設の修業年数は3年または4年となっている。現在,養成施設は全国277施設で,昼間部のみで見ると3年課程が約90施設,4年課程がその他を占めており,4年課程の養成施設が多い。

 養成施設には,大学,専門職大学,短期大学,専門学校がある。いずれの施設においても卒業までに必要な単位数および時間数が定められているが,理学療法士として中核となる知識や技術において大きな差異が生まれないよう,理学療法士作業療法士学校養成施設指定規則(以下,指定規則と略)に基づき,カリキュラムが編成されている。

●教育内容

 理学療法士の養成施設では,指定規則がカリキュラム編成の基盤となっている。2020年4月より,指定規則において卒業までの必要総単位数が93単位以上から101単位以上に引き上げられた。また,最低履修時間数が設定され,合計3,120時間以上履修することが条件となった。

 教育内容は,大きく1.基礎分野,2.専門基礎分野,3.専門分野と分かれている。

基礎分野	理学療法士として求められる基本的な資質や,社会における理学療法士の役割などについて学ぶ
専門基礎分野	人体の構造および機能や,各種疾病の病態など,理学療法を行ううえで必要な医学の基礎について学ぶ
専門分野	理学療法の一連の過程や,基本的な理学療法治療技術および障害別の理学療法技術について学ぶ

●理学療法士は,知識や技術だけではない

 理学療法士は,身体的な機能の回復を支援して,対象者の日常生活を自立に導くことが主たる責務となる。しかし,そこには知識や技術だけでなく,対象者の尊厳を重んじることや,回復を願い献身的に診療にあたることなど,理学療法士としての人間性も大切な要素である。言うまでもないが,理学療法士は対人援助職であるため,言葉遣いや礼節など,社会人としての接遇も重要である。

 これらは国家試験で計ることのできない部分であるものの,就職直後はむしろ知識や技術よりも備わっていることが求められるため,在学中に十分身につけておくべきである。養成施設の教員は,普段の学生教育において学生の人間性を育むことも必要であり,また学生自身も,対象者への関わり方や理学療法士としてのあり方について,その重要性を理解しておくことが望ましい。

COLUMN

- 1単位あたりの時間数は，講義および演習の場合15〜30時間，実技および実習の場合30〜45時間と定められている。
- 大学の卒業要件は124単位以上となっており，大学を卒業すると学士の称号が付与される。4年課程の専門学校では，総授業時数が3,400単位時間（124単位）以上のカリキュラム編成をしている場合，これを修了すると高度専門士の称号が付与される。

2 臨床実習とは

「臨床」という言葉には，「病床の患者に接して，実際に診察・治療を行うこと」といった意味がある。すなわち臨床実習とは，実際に医療現場で行う実習のことを指し，学内で学んだ知識や技術を「知っている」，「理解している」という段階から，対象者に応じて「適切に実施できる」という能力の獲得を目的とする。

臨床実習には，数日間のみの実習から8週前後と長期的な実習までさまざまな種類があり，養成施設によりその構成はやや異なるものの，概ね類似している。また，前述したカリキュラム改訂により，臨床実習の必要総単位数も，以前までの18単位から20単位に引き上げられている。なお，指定規則および理学療法士作業療法士養成施設ガイドラインで「臨床実習はすべて1単位を40時間以上の学習をもって構成し，実習時間外に行う学習等がある場合には，その時間も含め45時間以内とすること」と示されており，臨床実習の日数を週5日間とすると，臨床実習の時間は1日あたり8時間程度とし，その時間以外で学習を行う場合は1日あたり1時間以内にすることと読み取れる。種々の実習の総時間数を合算して，20単位以上（週5日間×20週以上）が養成施設卒業までの必要総単位数となる。

臨床実習においても，実習生（学生）は通常の講義や演習と同じく評価を受けるが，実習指導者からの評価に加えて，実習前の実技試験や，実習終了後の報告会などを評価対象に含める場合がある。ただし，学生評価の方法に関しては，養成施設によりその内容や配点などは異なることが多い。

● 実習期間中の1日

実習期間中は指導者とともに行動し，見学や診療の補助を行いながら1日を過ごすこととなる。基本的なスケジュールは指導者と同様であるため，理学療法士の日常業務を体験することができる。1日の終了時には，実習指導者との対話を通して，その日の実習に関する質問や，翌日以降の計画の確認などを行うことが多い。以下に1日のスケジュールの例を示す。

- 朝礼
- ミーティング

8:00 8:30

- 出勤
- 診療準備

9:00〜12:00

- 午前の診療開始
- 3〜4人の診療を見学

13:00

- 午後の診療開始
- 4〜5人の診療を見学

17:30 18:00

- 病棟内で開催されるカンファレンスへ参加

19:00〜20:00

- 指導者からの指導
- 退勤

- 自宅自己学習

見学実習	1年次：1週間	実際に評価や治療を行うのではなく，主に理学療法士の役割について学ぶことを目的としている。具体的には，対象者への対応や，医療従事者としての適切な態度，診療チームの一員としての理学療法士の役割などについて，見学を通して学ぶ
通所リハビリテーションまたは訪問リハビリテーションに関する実習	2年次：1週間	2020年4月以降の入学生を対象に，1単位以上実施することとして定められている。地域包括ケアシステムの強化に資する高度医療人材を育成することを目的としており，通所リハビリテーションまたは訪問リハビリテーションの役割，リハビリテーションマネジメントなどについて学ぶ
評価実習	3年次：4週間	さまざまな疾患・状態の対象者に対して，基本的な検査・測定などを適切に実施する方法を学ぶことを目的とする。診療記録などからの情報収集や対象者への検査・測定などを通じて，対象者の状態に関する評価を実施する。また，得られた情報から障害像を考え，課題解決に向けた方策を検討する過程を学ぶ
総合臨床実習	4年次：8週間×2回	評価実習の内容に加え，治療目標および治療計画の立案，治療実践ならびに治療効果判定などを学ぶ。また，診療録などへの記載方法やカンファレンスへの参加など，さまざまな理学療法業務についても理解を深める。卒業前最後の臨床実習となるため，診療チームの一員としての実践的な内容が多い

● 診療参加型臨床実習とは

　従来の臨床実習においては，実習生が1名ないし複数名の対象者を担当として受け持ち，理学療法の一連の過程を実践することが多かった。また，担当した対象者の情報や治療経過をレポートとして提出することが課題となっており，実習中には実習地で，実習終了後は養成施設で，それぞれ発表の機会が設けられていることがほとんどであった。

　現在は，診療参加型実習という形式が推奨されており，実習生は診療チームの一員として，指導者とともに対象者の診療にあたる。これは，従来式のように，実習生があたかも理学療法士の1人として対象者の診療にあたるのではなく，指導者の指示・監視下で対象者の安全に配慮しつつ，理学療法行為の一部を経験することが目的である。日本理学療法士協会における臨床実習教育の手引きでは，各理学療法行為の安全性や，実習生が理学療法行為を経験することの妥当性等を踏まえ，「実習生が実施可能な理学療法行為とその水準」として，実習生が経験できる内容と，見学にとどめるべき内容について公表している。これに加え，対象者もしくは対象者の保護者の同意を得ることや，指導者の指示・監視下で行うことなど，いわゆる「臨床実習におけるルール」が明記されており，いずれも臨床実習指導者や，養成施設教員および実習生の間で共通認識として浸透することが望まれる。

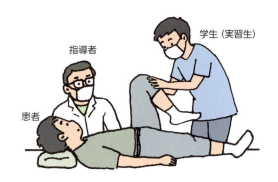

指導者の監視下で関節可動域運動を経験する実習生

3 国家試験

● 国家試験の問題数，合格基準

　理学療法士国家試験は午前と午後に分かれており，それぞれ100問ずつで構成される。また，100問中20問は実地問題，その他80問は一般問題と呼ばれ，実地問題が1問3点，一般問題が1問1点となるため，午前と午後の合計200問で280点満点となる。合計6割の正答をもって合格となるため，168点が合格ラインとなる（不適切問題により多少の変動あり）。また，実地問題は合計40問120点となるが，実地問題のみで43点以上得点することも合格の条件である。

	午前	午後	点数	小計	合計
実地問題	20問	20問	3点/問	120点	280点
一般問題	80問	80問	1点/問	160点	

実習生が実施可能な理学療法行為とその水準（一部抜粋）

	水準Ⅰ 指導者の直接監視下で実習生により実施されるべき項目	水準Ⅱ 対象者の補助として実施されるべき項目および状態	水準Ⅲ 見学にとどめておくべき項目および状態
項目			
教育目標	臨床実習で習得し対象者に実践できる。ただし，対象者の状態としては，全身状態が安定し，実習生が行ううえでリスクが低い状態であること	模擬患者，もしくは，シミュレーター教育で技術を修得し，指導者の補助として実施または介助できる	模擬患者，もしくは，シミュレーター教育で技術を修得し，医師・看護師・臨床実習指導者の実施を見学する
理学療法治療技術，運動療法技術	関節可動域運動，筋力増強運動，全身持久運動，運動学習，バランス練習，基本動作練習，移動動作練習（歩行動作，応用歩行動作，階段昇降，プール練習を含む），日常生活活動練習，手段的日常生活活動練習	・急性期やリスクを伴う状態の水準Ⅰの項目 ・治療体操，離床練習，発達を促通する手技，排痰法	喀痰吸引，人工呼吸器の操作，生活指導，患者教育

● 国家試験 例題

例題1） 実地問題 第58回理学療法士国家試験より引用
Danielsらの徒手筋力テストで股関節外転の段階3の測定をする際，図のような代償がみられた。代償動作を生じさせている筋はどれか。2つ選べ。
1. 大腰筋
2. 中間広筋
3. 腸骨筋
4. 半腱様筋
5. 半膜様筋

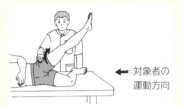

← 対象者の運動方向

例題2） 一般問題 第58回理学療法士国家試験より引用
筋力増強運動で正しいのはどれか。
1. 等運動性運動は徒手的に行う。
2. 等尺性運動は関節運動を伴う。
3. 等張性運動では関節運動の速度を調整する。
4. 閉鎖性連鎖運動は複数筋の筋力増強に適している。
5. 開放性連鎖運動は四肢末端が地面に接した状態で行う。

● 理学療法士国家試験の受験者数・合格者数・合格率の推移

● 理学療法士免許取得まで

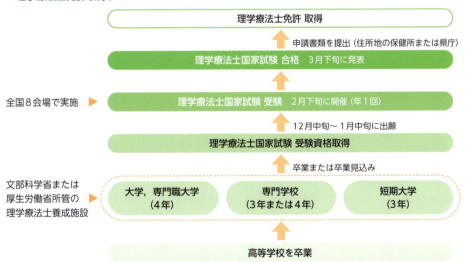

COLUMN

- Danielsらの徒手筋力テストはManual Muscle Testとも呼ばれ，臨床現場ではMMTと称されることが多く，簡易的に対象者の筋力を計る手段として用いられている。
- 代償および代償動作とは，ある動作が困難であるとき（ここでは股関節外転筋の筋力が不十分である），他の筋の作用を利用して，弱化している筋力を補おうとすることである。
- 等運動性運動，等尺性運動，等張性運動とは，それぞれ筋収縮の様式であり，筋収縮時の関節運動の有無や速度などで定義づけられる。・開放性連鎖運動，閉鎖性連鎖運動とは，運動時に下肢が地面に接しているか否かで定義づけられる。

リハビリテーションと関連職種

POINT

✓ 1981年の厚生白書には、「リハビリテーションとは障害者が一人の人間として、その障害にもかかわらず人間らしく生きることができるようにするための技術的および社会的、政策的対応の総合的体系であり、単に運動障害の機能回復訓練の分野だけをいうのではない」[1]と記載されている。

✓ 理学療法士が関わることの多い<mark>医学的リハビリテーション</mark>は、「個人の身体的機能と心理的能力、また必要な場合には補償的な機能を伸ばすことを目的にし、自立を獲得し、積極的な人生を営めるようにする医学的ケアのプロセスである」[2]とされる。

✓ 理学療法の対象者の目的を達成するため、理学療法士を含むリハビリテーション関連職種❶は協働する。

✓ 協働を促進する方法のひとつにカンファレンス❷があり、リハビリテーション関連職種がそれぞれの専門の立場から情報提供をして共有し、より良い医療の提供や適切な方針決定などを行う。

1) 厚生労働省：厚生白書（昭和56年版），1981.（https://www.mhlw.go.jp/toukei_hakusho/hakusho/kousei/1981/）
2) WHO Expert Committee on Medical Rehabilitation. Second report. World Health Organ Tech Rep Ser 419：1-23, 1969.

❶ 代表的なリハビリテーション関連職種

医師、理学療法士、作業療法士、言語聴覚士、視能訓練士、看護師、薬剤師、義肢装具士、医療ソーシャルワーカー、ケアマネジャー（介護支援専門員）、福祉用具専門相談員のほか、管理栄養士、精神保健福祉士、臨床心理士など数多くの職種がある（表1）。

❷ 回復期リハビリテーション病院でのカンファレンスの様子

医師、薬剤師、理学療法士、作業療法士、看護師、医療ソーシャルワーカー、管理栄養士といったリハビリテーション関連職種が集まり、患者の状態についてそれぞれの専門的な立場から情報を提供、共有して、適切な治療方針や転帰先の決定、退院や転院に必要な支援の確認などを行う。

アクティブラーニングのヒント
- 世界保健機関、国連・障害者世界行動計画（1982年）によるリハビリテーションの定義を調べてみよう。
- 医学的リハビリテーション以外には、どのようなリハビリテーション分野があるか調べてみよう。

表1 理学療法士と関連職種の英語名と略語

職種名	英語	略語
理学療法士	physical therapist	PT
作業療法士	occupational therapist	OT
言語聴覚士	speech-language-hearing therapist	ST
医師	doctor (medical doctor)	Dr (MD)
看護師	nurse	Ns
保健師	public health nurse	PHN
薬剤師	pharmacist	Ph
義肢装具士	prosthetist and orthotist	PO
視能訓練士	certified orthoptist	CO
管理栄養士	registered dietitian	RD
医療ソーシャルワーカー	medical social worker	MSW
臨床心理士	clinical psychologist	CP
社会福祉士	certified social worker	CSW
精神保健福祉士	psychiatric social worker	PSW
介護福祉士	certified care worker	CCW
介護支援専門員	care manager	CM

職種		法名	定義
医師		医師法	医療および保健指導を掌ることによって公衆衛生の向上および増進に寄与し，もつて国民の健康な生活を確保するものとされ，医師になろうとする者は，医師国家試験に合格し，厚生労働大臣の免許を受けなければならない。理学療法士は，理学療法を行うためには，医師による指示が必要となる
作業療法士		理学療法士及び作業療法士法	厚生労働大臣の免許を受けて，作業療法士の名称を用いて，医師の指示の下に，身体または精神に障害のある者に対し，主としてその応用的動作能力または社会的適応能力の回復を図るため，手芸，工作その他の作業を行わせることを業とする者をいう
言語聴覚士		言語聴覚士法	厚生労働大臣の免許を受けて，言語聴覚士の名称を用いて，音声機能，言語機能または聴覚に障害のある者についてその機能の維持向上を図るため，言語訓練その他の訓練，これに必要な検査および助言，指導その他の援助を行うことを業とする者をいう。また，診療の補助として，医師または歯科医師の指示の下に，嚥下訓練，人工内耳の調整その他厚生労働省令で定める行為を行うことを業とすることができる
視能訓練士		視能訓練士法	厚生労働大臣の免許を受けて，視能訓練士の名称を用いて，医師の指示の下に，両眼視機能に障害のある者に対するその両眼視機能の回復のための矯正訓練およびこれに必要な検査を行うことを業とする者をいう
看護師		保健師助産師看護師法	厚生労働大臣の免許を受けて，傷病者若しくはじよく婦に対する療養上の世話または診療の補助を行うことを業とする者をいう
薬剤師		薬剤師法	調剤，医薬品の供給その他薬事衛生をつかさどることによって，公衆衛生の向上および増進に寄与し，もつて国民の健康な生活を確保するものとされ，薬剤師になろうとする者は，薬剤師国家試験に合格し，厚生労働大臣の免許を受けなければならない
義肢装具士		義肢装具士法	厚生労働大臣の免許を受けて，義肢装具士の名称を用いて，医師の指示の下に，義肢および装具の装着部位の採型ならびに義肢および装具の製作および身体への適合を行うことを業とする者をいう
医療ソーシャルワーカー*	社会福祉士	社会福祉士及び介護福祉士法	社会福祉士の名称を用いて，専門的知識および技術をもつて，身体上若しくは精神上の障害があることまたは環境上の理由により日常生活を営むのに支障がある者の福祉に関する相談に応じ，助言，指導，福祉サービスを提供する者または医師その他の保健医療サービスを提供する者その他の関係者との連絡および調整その他の援助を行うことを業とする者をいう
	精神保健福祉士	精神保健福祉士法	精神保健福祉士の名称を用いて，精神障害者の保健および福祉に関する専門的知識および技術をもって，精神科病院その他の医療施設において精神障害の医療を受け，または精神障害者の社会復帰の促進を図ることを目的とする施設を利用している者の地域相談支援の利用に関する相談その他の社会復帰に関する相談に応じ，助言，指導，日常生活への適応のために必要な訓練その他の援助を行うことを業とする者をいう

＊社会福祉士または精神保健福祉士の保持することを条件としていることが多い。

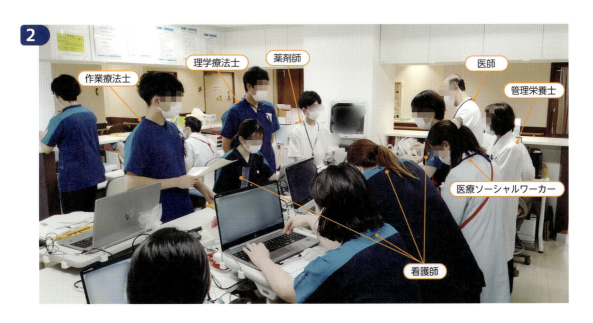

3章 理学療法の方法Ⅰ
筋力増強トレーニング

POINT

- ✓ **筋力増強トレーニング**は，運動療法のなかで最も多く行われているものである．身体機能の改善や維持を図り，運動の適応能力を高めるためには必須なプログラムである．

- ✓ 筋力増強トレーニングの効果を高めるためには，筋の構造や**筋力**❶についての理解が必要である．そのうえで，なぜ**筋力低下**❷が生じてしまったのか，その要因について理解することが重要である．

- ✓ 筋力増強トレーニングを行う際には，筋収縮の各様式の特徴や**トレーニングの原理**❸を理解したうえで，その目的に適した方法を選択しなければならない．

❶ 筋力

　筋力とは，骨格筋の随意収縮によって発生する張力のことである．骨格筋は数百から数千本の筋線維により構成された組織であり，筋力の大きさは1本の筋線維の太さと収縮に参加する筋線維の数によって決定される．

　また，骨格筋の収縮は，中枢神経系からの収縮信号が末梢神経の運動神経を介して，筋線維に伝達されることによって生じる．よって，筋力の大きさは筋断面積や筋線維組成だけではなく，神経系による運動単位の動員数などの神経系要因によっても影響を受ける[1]．

筋張力発生に関与する因子
- 活動する運動単位数と発射頻度
- 筋断面積
- 収縮時の筋の長さ
- トルクとレバーアームの関係
- 筋の収縮速度

1) Neumann DA, et al.：骨格筋の構造的構成の概説. 筋骨格系のキネシオロジー，原著第3版，56-58，医歯薬出版，2021.

❷ 筋力低下

　筋力低下とは，筋収縮により発生する張力が低下した状態である．筋力低下は筋横断面積の減少である筋萎縮，あるいは神経系因子の障害によって生じる．筋力低下の原因である筋萎縮は，神経や筋が原因で生じる場合がある[2]．

2) 石川　齋ほか：筋力低下. 図解 理学療法技術ガイド，第4版，126-132，文光堂，2014.

廃用性筋萎縮	何らかの理由により長期間にわたり筋を活動させなかったことが原因で生じたものである．脳障害などの疾患や手術後による長期臥床，骨折の治療目的のギプス固定などによる長期の不動が原因で起こる

❸ 筋力増強トレーニング

　筋力増強トレーニングは運動療法のなかでも重要な構成要素となっている．骨格筋の協調的な収縮力が発揮されることにより，姿勢保持や基本動作は遂行される．身体動作能力の改善・機能向上を図るうえで，筋力増強トレーニングはその目的を達成するための代表的な介入方法である．

● 筋収縮様式の分類

　筋の収縮は，**収縮様式**と**運動様式**によって分けられる[3]．また，筋の収縮に関節運動を伴わない静的収縮と関節運動を伴う動的収縮に分けることができる．

◎収縮様式による筋収縮の分類

　筋収縮の際の筋の長さの変化によって，求心性（短縮性）収縮，遠心性（伸張性）収縮，等尺性収縮に分類される．

求心性収縮	筋の長さが短縮し，起始と停止が近づく収縮様式
遠心性収縮	筋の長さが伸張し，起始と停止が離れるような収縮様式
等尺性収縮	筋の両端が固定され，筋の長さが変化しない場合の収縮様式

◎運動様式による筋収縮の分類

筋収縮によって関節が動く動的収縮（等張性収縮・等速性収縮）と動かない静的収縮（等尺性収縮）に分類される。

等張性収縮	筋の発生する張力が一定であるような関節運動時の筋収縮
等速性収縮	筋の収縮速度が一定となるような関節運動時の筋収縮（図1a）
等尺性収縮	筋の収縮が起きても関節が動かない筋収縮

● 筋力増強トレーニングの基本理論

筋力増強トレーニングの効果を高めるためには，その目的によって負荷の大きさや運動回数を適宜選択しなければならない．1RM（1回しか反復できない負荷量を意味する）をもとに，トレーニングの負荷量を決めることが多い．

目的	筋力増強	筋肥大	筋持久力向上
負荷	1RMの60～70%	1RMの70～85%	軽負荷
運動回数	8～12回	8～12回	10～15回

● トレーニングの原則

◎過負荷の原則

トレーニング強度は，日常生活で発揮している力よりも大きな力でトレーニングする必要がある（図1b）．

◎可逆性の原則

トレーニングで得られた効果は，トレーニングを継続している間は維持されるが，やめてしまうとその効果は徐々に失われていく．

◎特異性の原則

ある種の能力は，同種類の運動を用いたトレーニング（図1）によって効果的に高められる．

3）玉木　彰ほか：筋の運動生理学．リハビリテーション運動生理学，13-15, メジカルビュー社，2023.

図1　筋力トレーニング

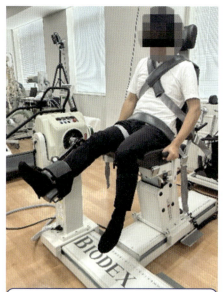

a. 等速性筋力増強機器を使用した膝関節伸展筋力トレーニング

b. 伸縮性ゴムバンドを使用した下肢伸展挙上トレーニング

COLUMN

・筋力の測定には，徒手筋力検査や等速性筋力測定機器や徒手筋力計（ハンドヘルドダイナモメーター）などの機器を使用する方法がある．
・運動単位：1個の運動ニューロンが支配する筋のグループのこと．

3章 理学療法の方法 I
麻痺の回復促進

> **POINT**
>
> ✓ **運動麻痺**[1]は，筋活動を支配している**皮質脊髄路**が障害されて随意的な運動ができない状態のことである。その症状は，上位運動ニューロンの損傷か下位運動ニューロンの損傷，すなわち，障害部位のレベルによって中枢性麻痺と末梢性麻痺に分けられる。
>
> ✓ 脳卒中などの中枢性麻痺の回復を促通する回復期の運動療法効果は証明されていないが，麻痺の状態によっては電気刺激，医師による磁気刺激による効果がガイドラインに示されている[2]。

1 運動麻痺とは

中枢神経系の運動経路である**皮質脊髄路（錐体路）**の損傷により，運動麻痺が生じる。皮質脊髄路は運動の指示を伝える経路である。大脳皮質の一次運動野から上位運動ニューロンを介して延髄の錐体で交差した後，脊髄前角細胞に至る。脊髄前角細胞でシナプスを介して下位運動ニューロンとなり，神経筋接合部で筋へシナプス結合する[1]。したがって，運動麻痺は，運動中枢から筋線維までのどこかの経路に障害があって，随意的な運動ができない状態のことをいう。

運動麻痺は，皮質脊髄路において脊髄前角細胞よりも上位の経路である**上位運動ニューロンの損傷**，脊髄前角細胞よりも下位の経路である**下位運動ニューロンの損傷**かによる障害のレベルの違いによって，**中枢性麻痺**と**末梢性麻痺**に分けられる[2]（図1）。

1) 工藤佳久：運動の企画と円滑な運動を司るしくみ．改訂版もっとよくわかる！ 脳神経科学，128-130，羊土社，2021．
2) 市橋則明：中枢神経麻痺の評価．理学療法評価学 障害別・関節別評価のポイントと実際，125-128，文光堂，2016．

● 中枢性麻痺

脳，脊髄の障害によって生じる。上位運動ニューロンの損傷では，筋緊張の亢進を伴った運動麻痺（痙性麻痺）がみられる。痙性麻痺は，筋緊張と腱反射が亢進する。原因となる主な疾患として，脳血管障害，脊髄損傷，腫瘍などが挙げられる。中枢性麻痺は，片麻痺，対麻痺，四肢麻痺に分けられる（図2）。

また，上位運動ニューロンの損傷に伴う運動障害には，通常ではみられない運動が出現する陽性徴候と通常みられるべき運動が出現しない場合の陰性徴候がある。

陽性徴候
・痙性麻痺
・病的反射
・腱反射亢進
・病的共同運動

陰性徴候
・筋力低下
・巧緻性低下

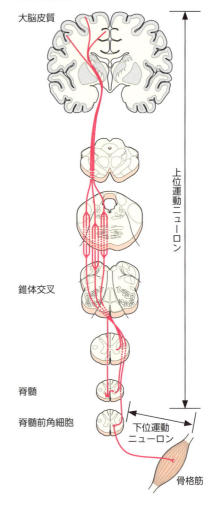

図1 皮質脊髄路

図2 中枢性麻痺

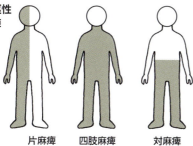

片麻痺　　四肢麻痺　　対麻痺

● 末梢性麻痺

脊髄前角細胞から筋に至るまでの下位運動ニューロンの経路が障害され、筋緊張が低下して筋の弛緩を伴う運動麻痺として弛緩性麻痺が生じる。弛緩性麻痺は筋緊張の低下と腱反射の減弱あるいは消失が生じる（図3・4）。

運動神経がどの部位で障害されているかを知るには、上位運動ニューロン障害と下位運動ニューロン障害に分けて観察する[3]。

3) 田崎義昭ほか：運動麻痺の診かた．ベッドサイドの神経の診かた，改訂18版，157-170，南山堂，2017．

図3　腱反射（膝蓋腱反射）

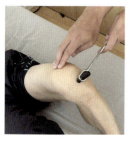

図4　病的反射（バビンスキー反射）

2 運動麻痺の回復

中枢性麻痺と末梢性麻痺では、症状とその後の経過が異なるが、完全回復に至らず、後遺症として麻痺が残る場合も多い。

● 中枢性麻痺

運動麻痺は損傷された部位によって症状が異なる。脳卒中による片麻痺では、その回復過程は弛緩性麻痺から始まり、連合反応、共同運動を経て、やがて正常な状態へと回復する質的な変化を示す[4]（図5）。

◎ 連合反応

中枢神経損傷後に、一側の筋収縮によって反対側や全身性に筋緊張が高まる現象で、中枢神経麻痺の回復過程の初めにみられる場合がある。一側の筋収縮が反対側の筋収縮に影響を及ぼす。

◎ 共同運動

中枢神経の損傷に伴う運動麻痺により、選択的な筋群の運動が阻害される。単一の関節運動をその他の関節運動と分離して行うことができなくなることから、不適切な関節運動の組み合わせが生じてしまう。上肢・下肢ともに屈筋共同運動、伸筋共同運動に分類される。

● 末梢性麻痺

末梢性麻痺は、筋力0（活動なし）から5（正常）への量的回復を示す（図6）。

4) 対馬栄輝ほか：運動における中枢神経機能．Crosslink 理学療法学テキスト 運動療法学，242-255，メジカルビュー社，2021．

図5　踵接地での足関節背屈運動

中枢神経麻痺の回復を促すトレーニングでは、運動の難易度（分離運動）を考慮する

図6　神経筋電気刺激を用いた足関節背屈運動

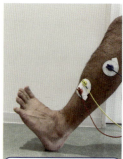

末梢神経麻痺の回復を促すトレーニングでは、筋力に合わせた負荷量を選択する

COLUMN

- 皮質脊髄路は、大脳皮質の一次運動野からの命令を脊髄まで一気に運ぶ太い神経路である。中枢神経系では最も大規模な神経路で、脊髄の外側索を通るので外側経路、また、延髄の腹側部の錐体を通るので錐体路ともよばれる。
- 運動麻痺は、その程度により完全麻痺と不全麻痺に分けられる。
- 神経筋電気刺激（NMES）は、体表から神経や筋を刺激することにより得られる生理学的な効果を用いた電気刺激治療の総称である。

アクティブラーニングのヒント

▶ 運動麻痺を呈した脳卒中片麻痺患者が使用する福祉用具、補助具、自助具、補装具にはどのようなものがあるか調べてみよう。

3章　理学療法の方法Ⅰ

関節可動域運動・ストレッチング

POINT

- ✓ 関節可動域（range of motion：ROM）とは，関節を動かした際の運動範囲であり，その運動範囲を測定するテストが関節可動域テスト（ROMT）である[1]。
- ✓ ROMは各種姿勢や動作の可否に影響する[2]。
- ✓ 関節可動域運動（ROM ex.）[3]はROMの維持・ROM制限の改善のため，各関節を自動的・他動的に動かすことである。ROM ex.には機器や物理療法が併用されることもある。
  （ROM exercise）
- ✓ ストレッチング[4]は筋や腱を引き伸ばす（伸張する）ことで，筋・腱の柔軟性・関節の可動性を高める。ストレッチングは運動や動作の改善・障害の予防・コンディショニングに役立つ。

1 関節可動域（ROM）

　身体の関節を自分で動かしたときの範囲を自動ROM（AROM），他者により動かされたときの範囲を他動ROM（PROM）という（図1）。

　理学療法では関節角度計（ゴニオメーター）を用いて関節の運動範囲を測定する関節可動域テスト（ROMT：図2）が行われることが多く，ROM制限や拡大となる原因を考える必要がある。その結果は，対象者の年齢や性別，動作における必要性や他の検査・測定結果などが考慮されて治療計画に活かされる。

図1　関節可動域（ROM）

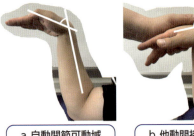

a. 自動関節可動域（AROM）　　b. 他動間接可動域（PROM）

右手関節掌屈位。白線は基本軸・移動軸を示す。

図2　肘関節屈曲角度の測定

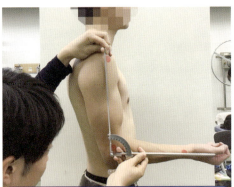

基本軸（上腕骨）・移動軸（橈骨）にゴニオメーターを正確に当てる。目盛を正確に読むためには，目の高さで読むように注意する。基本軸・移動軸は関節・運動ごとに定められている

2 ROM制限と姿勢・動作への影響

　各種姿勢や動作が可能であるための一要素にROMがある。ROMに制限が生じると関節自体の運動を制限するばかりでなく，立位や座位など各種の姿勢や歩行などの動作に影響がある。

　たとえば，座面の高さが低くなるほど，必要な股関節と膝関節を曲げる角度（屈曲角度）は大きくなり，ROM制限が座位姿勢に影響することがわかる（図3）。

3 関節可動域運動（ROM ex.）

　ROMの維持・ROM制限の改善のため，各関節を自動的・他動的に動かす運動を関節可動域運動（ROM

図3 座面の高さと股関節・膝関節屈曲角度の関係

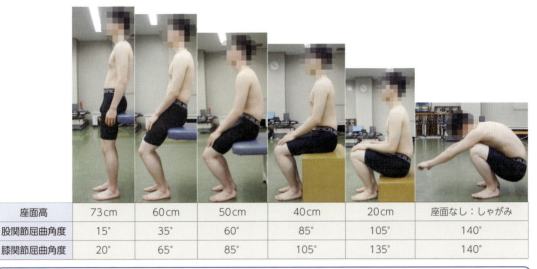

座面高	73cm	60cm	50cm	40cm	20cm	座面なし：しゃがみ
股関節屈曲角度	15°	35°	60°	85°	105°	140°
膝関節屈曲角度	20°	65°	85°	105°	135°	140°

座面の高さを変化させると必要となる関節可動域も変化することがわかる。被験者の身長は170cmである。

ex.）という。他動的ROM ex.では，理学療法士などの他者のほか，医療機器，重力，あるいは患者自身の他の部位により関節が動かされる。自動的ROM ex.では，その関節を動かす自分の筋力で動かす。自動的ROM ex.を他動的ROM ex.で補いながら行う自動介助的ROM ex.を用いる場合もある。

ROM制限を改善することは，対象者の運動機能や運動能力，ADL能力を引き上げる。

4 ストレッチング

ストレッチングは筋や腱を伸張することで，筋・膜の柔軟性，関節の可動性を高め，運動や動作の改善・障害の予防・コンディショニングに役立つ。

ストレッチングにも他者や機器によるストレッチングと，自身によるストレッチングがある（図4）。また，反動をつけずにゆっくりと筋を伸張するスタティックストレッチングと，反動をつけて筋を伸張するバリスティックストレッチングがあり，目的に合わせて方法を選択していく。

COLUMN

物理療法はホットパックやパラフィン浴などの温熱療法や超音波などを行うことにより，疼痛の軽減や軟部組織の伸張性の向上が得られ，ROM ex.との併用が効果的である。

図4 伸張運動（ストレッチング）の例

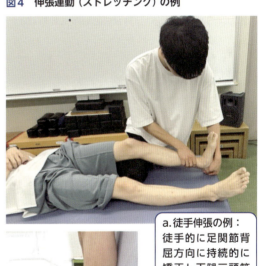

a.徒手伸張の例：徒手的に足関節背屈方向に持続的に矯正し下腿三頭筋を伸張する

b.機器使用例：ティルトテーブルと足部のウェッジを使用し持続的に伸張する

アクティブラーニングのヒント

▶関節可動域表示ならびに測定法の表を見ながら自分の体を動かして関節と運動名を確認してみよう。

物理療法・徒手療法

3章 理学療法の方法 I

POINT

- ✓ **物理療法**❶は，電気，温熱，寒冷，光線，外力（牽引，水，マッサージ）などの物理的手段を用い，諸症状の改善を図り，運動療法をスムーズに行うための補助的治療と位置づけられる。
- ✓ **徒手療法**❷は，徒手を用いる療法全般を指し，マッサージなどが含まれる（マッサージは物理療法にも含まれる）。
- ✓ 物理療法と徒手療法の主な目的として，疼痛の緩和と筋緊張異常の改善がある。
- ✓ **疼痛**❸には温熱療法をはじめ多くの物理療法が適応される。
- ✓ **筋緊張異常**❹は，亢進か低下かによって適応が異なり，マッサージや促通手技などの徒手療法も用いられる。

物理療法と徒手療法は，運動療法やADL練習などとともに理学療法の一手段である。

物理療法と徒手療法ともに，日本のみならず世界理学療法士連盟（WCP）における理学療法サブグループ（専門グループ）のひとつであり，理学療法の臨床で広く応用されている。

1 物理療法とは
Electrophysical Agents in Physical Therapy

理学療法士及び作業療法士法において「理学療法」は"身体に障害のある者に対し，主としてその基本的動作能力の回復を図るため，治療体操その他の運動を行わせ，及び電気刺激，マッサージ，温熱その他の物理的手段を加えること"をいう"と定義されている。

物理療法は「電気刺激，マッサージ，温熱その他の物理的手段」を用いた療法で，主な作用としては，局所の血行改善や神経機能の調整を介した痛みの制御，炎症の抑制，組織修復の促進などが挙げられる。

したがって疼痛や炎症，筋力低下をきたすさまざまな病態・疾患に適応されるが，理学療法では主に，痛みの緩和や神経・筋の機能不全による筋緊張異常の改善を図り，関節可動域運動や筋力増強運動などの運動療法をスムーズに行えるようにする補助的治療手段として使用される。

2 徒手療法とは
Manual Therapy

狭義には運動療法を含まない治療手技として解釈されている。

広義には機械や物理器具を用いずに徒手を用いる運動療法も徒手療法に含まれると解釈されるが，現状では運動療法と徒手療法とは区別して考えられることが多く，運動療法を伴わない治療手技が徒手療法とされている[1]。

本項では，痛みの緩和や筋緊張異常の改善により運動療法をスムーズに行えるようにする補助的治療手段としてマッサージを中心について扱う。

1) 日本徒手理学療法学会：徒手的理学療法とは．（http://m-pt.jp/徒手的理学療法とは）

3 疼痛と物理療法

痛みは，**侵害刺激**が体中に張り巡らされた**侵害受容器**に伝えられることによって体内に伝えられる。

受容器を興奮させた侵害刺激は，求心性の**神経線維**によって中枢に伝えられる。

主な**痛みの伝導路**である**脊髄視床路**は，**脊髄後角**から痛みの中枢である視床に到達し，シナプスを形成し最終的に大脳皮質に達することで「痛み」と認識される。

このような**痛みの伝達では，血流が阻害されることや発痛物質の発現による悪循環がみられる。物理的効果によりこの循環の遮断を図るのが物理療法である**（図1）。

アクティブラーニングのヒント

▶痛みは，発生部位や痛みを感じる時間の違いによっていくつかの分類がある。痛みの分類にはどのような種類があるか調べてみよう。

4 筋緊張異常と物理療法

生体内において通常，筋は適切な緊張状態が保たれているが，中枢神経障害や局所の循環障害によって過度な緊張状態（筋緊張亢進）になることや，神経障害や筋自体の障害で弛緩したままの状態（筋緊張低下）になることがあり，これを筋緊張異常という。

物理療法の対象となる筋緊張異常は，中枢神経障害による筋緊張亢進（痙性麻痺）や攣縮（筋スパズム），末梢神経障害による筋緊張低下（弛緩性麻痺）に対するものである。

● 筋緊張異常に対する徒手療法

マッサージなどの徒手療法は，筋緊張亢進の抑制や筋緊張低下の促通を目的に用いられる。マッサージは徒手的な外力を用いることから物理的手段として物理療法に含まれることもある。一方で促通手技は運動療法とされることが多い。

図1 痛みの物理療法

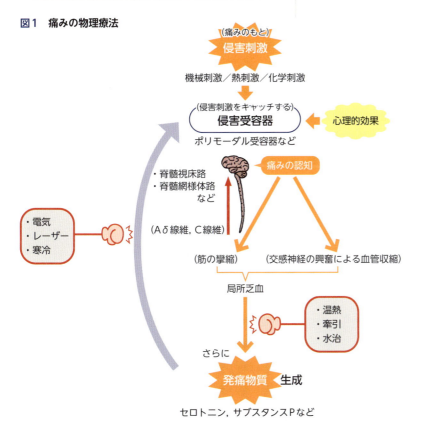

● 侵害刺激
- 侵害刺激には熱刺激，機械的刺激，化学的刺激がある。
- 痛みを中枢に伝える神経線維は，有髄の細いAδ線維と無髄のC線維とされる。
- ヒトのからだには，それぞれの侵害刺激に反応する侵害受容器があるが，すべての侵害刺激に反応する「ポリモーダル受容器」もある。
- 痛みの伝導路には脊髄視床路のほかに，脊髄網様体路，脊髄視床下部路がある。

● 痛みと心理
- 痛みは心理，情動と密接に関わる。
- 痛みが強かったり持続したりすると心理的に悪影響を及ぼす。一方で，心理的に安定しているときには痛みを感じにくくなることもある。

● 物理療法の適応

疼痛		温熱療法（超音波療法，極超短波療法：マイクロウェーブ），寒冷療法，光線療法（レーザー，赤外線），電気療法，牽引，水治療法，マッサージなど多くの物理療法で効果が期待される
	炎症期	炎症による急性痛は消炎効果が期待される寒冷療法が適応となる。その他の物理療法は主に慢性痛の緩和を期待して行われる
筋緊張亢進		温熱療法，寒冷療法，牽引，水治療法，マッサージ
筋緊張低下		電気療法，徒手療法による促通手技

● 具体的な適応

◎温熱療法

　伝導熱を利用したホットパック（図2），パラフィン浴，**輻射熱**を利用した赤外線療法，**変換熱**を利用したマイクロウェーブ（図3），レーザー療法などがある。

　代謝の亢進による発痛物質の排除が期待されるほか，心理的効果による疼痛緩和も期待される。

図2　ホットパック

図3　マイクロウェーブ

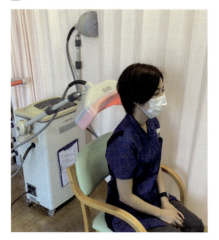

COLUMN
熱の伝わり方（伝導様式）

　熱の伝わり方（伝導様式）は4つに分類されており，「伝導」「対流」「輻流」「交換（変換）」がある。

◎寒冷療法

　伝導冷却法であるコールドパック，アイスパック，クリッカーによって直接患部を冷却する方法が多く使用されている。

　神経伝導速度の抑制，感覚受容器の閾値上昇などによる疼痛効果があるとされる。また，反射性血管拡張による筋弛緩（筋スパズム緩和）の効果も期待される。

　痙性筋への効果も報告されており，これは神経筋接合部の興奮伝導の低下やγ運動神経の抑制，筋紡錘の興奮低下，関節周囲組織の粘性増加などの効果によるものと考えられている。

◎光線療法

　赤外線療法，紫外線療法，レーザー（低反応レベルレーザー）療法があるが，鎮痛には赤外線療法とレーザー療法が用いられる。

　トリガーポイントへの照射により神経を刺激することで交感神経ブロック効果が得られると考えられている。

◎電気療法

　干渉波低周波治療器が広く使用されている（図4）。鎮痛には経皮的末梢神経電気刺激（TENS）が用いられる。これはゲートコントロールセオリーや内因性鎮痛物質放出などC神経線維抑制系の機序による効果と考えられている。

図4　低周波治療器

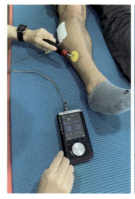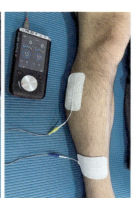

弛緩筋に対しては，骨格筋を収縮させる神経筋電気刺激(NMES)が用いられる。

低周波と中周波を組み合わせられる機器(図5)や，圧力波を利用する機器(図6)などさまざまな機器がある。

図5

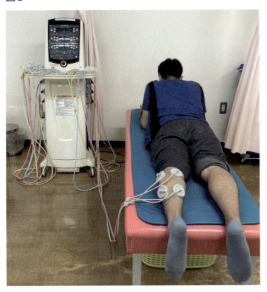

図6

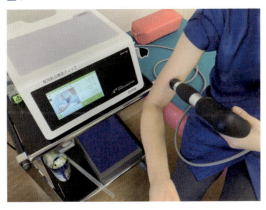

◎水治療法

水の特性(浮力や抵抗)を利用したものと，温熱・寒冷効果を利用したものがある。

ハバードタンクのような大型の装置から渦流浴装置の付いた部分浴槽などさまざまな装置がある。

◎牽引療法

機械により脊椎を長軸方向に牽引する。腰椎牽引機と頸椎牽引機がある(図7)。リラクゼーションや筋弛緩による筋膜性の筋スパズムに対し効果があると言われている。

図7

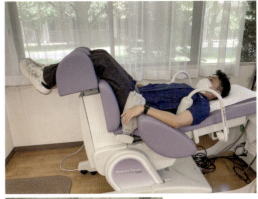

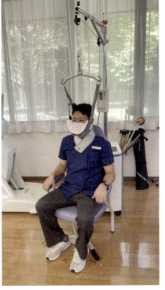

◎マッサージ

軽擦，圧迫，叩打などの外力により局所に機械的刺激を与える徒手療法であり，疼痛緩和や筋緊張亢進の抑制効果が期待される。

バランス

POINT

- バランス能力は身体運動を安定性の視点から見たものであり，転倒せずに姿勢を保持する能力のことをいう。

- 身体運動に必要なすべての要素がバランス能力にも関係する。

- 身体運動に必要な要素とは，感覚機能[1]（表在覚・深部覚・視覚・前庭覚など），筋機能，骨・関節機能が基礎であり，これらが適切に働いている必要がある。

- 視覚で自分の周りの環境がどのようになっているかを知覚し，深部覚や前庭覚などで自分の身体がどのような姿勢・運動をしているかを知覚し，表在覚で支持面（床など体を支えている面）を知覚する。その感覚入力をもとに筋力（筋機能）を使って動作を行う。その際，骨・関節機能が正常で関節可動域（関節が動く範囲）が十分に確保されている必要がある。また感覚機能からの入力を知覚してから，筋・骨・関節機能により力を出力させるまでの間で脳内での感覚統合・出力調整を行うのが，高次脳機能[2]も含めた運動制御に関わる神経機構である。

- バランス練習のためには，まず，筋トレやストレッチなどにより筋力・関節可動域を保持しておくことは必須である。そのうえで，立ち直り反応[3]や平衡反応[4]などを基盤とした感覚入力で知覚された姿勢・環境に適した転倒しないための運動が即座に出力されるよう神経機構を調整していく。すなわち運動学習[5]を進めていく。

1 感覚

　バランスに関係する感覚として視覚は言うまでもない。表在覚とは皮膚で感じるもので，そのなかに触れられていることを感じる触覚，押されていることを感じる圧覚などがある。深部覚とは皮膚より深いところで感じるもので，そのなかに関節が動いていることを感じる運動覚，関節の曲がり具合を感じる位置覚などがある。頭の傾きや動きを感じる前庭覚などもあり，これらの情報を統合して重力によって引っ張られている方向と姿勢との関係を知覚し，バランスをとっている。

2 高次脳機能

　高次脳機能とは感覚が脳に入力され，脳内で処理されて，運動として出力される一連の神経活動のなかの，脳内での処理活動のことである。

　特にバランスに関係する部分としては，脳に入ってきた各感覚を統合して自身の姿勢と環境との関係を認知し，そのときの運動課題や過去の記憶と比較判断し，運動プログラムを作る一連の処理になる。

　この機能の一部が正常に働かないことで，傾いた姿勢を真っすぐと認識してしまい転倒する障害（プッシャー現象）もある。

視覚：鏡に映った自分が青いテープと比べて傾いているか確認させる

プッシャー現象：左に傾いた姿勢を真っすぐと認知してしまう

4 平衡反応（動画2参照）

急激な外乱(がいらん)が加わった際に転倒を防止しようとする反応。意識していなくても差し迫った転倒の危険を感じたときに起こる。外乱刺激に対して大脳は経由するが脳内の高次な処理活動を必要としない運動である。

◀動画2

安全性に配慮しつつ速い大きな動きで平衡反応を引き出す

3 立ち直り反応（動画1参照）

ゆっくりとした軽微な外乱に対して対称な姿勢を保とうとする反応。外乱刺激の入力に対して大脳を経由せずに出力される、脳内の高次な処理活動を必要としないより低次な運動である。

◀動画1

安全性・恐怖感に配慮しつつ立ち直り反応を引き出す

5 運動学習

運動学習とは訓練や練習を通じて獲得される運動行動の変化であり、==状況に適した感覚・運動系の協調性が向上していく過程==のことをいう。

通常の運動学習の過程ではたくさんの注意力を使って個々の動作を意識的に繰り返し試行錯誤する段階から、徐々に動作自体に注意を向ける必要がなくなり効率的で一貫した運動が行える段階に進んでいく。理学療法士は運動課題や環境、介助量を調整しつつこの過程を進める援助をする。

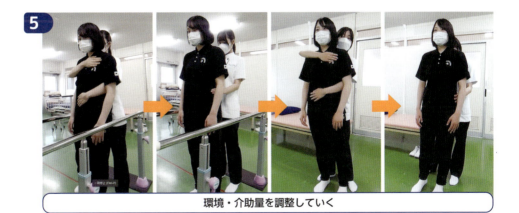

環境・介助量を調整していく

📶 アクティブラーニングのヒント

▶立ち直り反応・平衡反応とは何か調べてみよう。その後で立った状態で動画のように相手を動かしてみて、ゆっくり動かしたときと早く動かしたときで相手の反応にどんな違いが出るか観察してみよう。

COLUMN

転倒を防止する基本的な反応としての立ち直り反応や平衡反応の獲得のための練習も行っていく。通常の運動学習過程とは異なり、個々の動作を意識させずに学習させたほうが、とっさの場合の反応が出やすいこともある。

基本動作練習 I

POINT

- 仰向けの姿勢から起き上がって，立ち上がり歩くまでの動作を**基本動作**と呼ぶ。基本動作は日常生活での諸活動を構成する要素を多く含んだ動作である。
- 基本動作の構成要素として，臥位❶や座位・立位❷などの姿勢や，寝返り，起き上がり，立ち上がり，歩行，移乗動作などの姿勢を変換する動作❸〜❻が含まれる。
- 患者の多くは，さまざまな原因により，しばしば基本動作が障害される（➡第5・6章参照）。

❶ 臥位（背臥位・側臥位・腹臥位）

● 背臥位（仰臥位：supine position）

顔面を含む身体前面を天井（上方向）に向けた，いわゆる仰向けに寝た姿勢である。背臥位は，支持基底面が広く，重心位置が低い安定した姿勢とされる。また，上肢や身体全体が支持物（ベッドなど）に接触することで，安定しリラックスした姿勢となる。

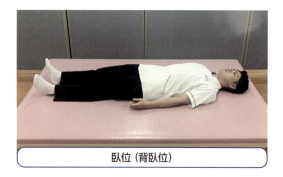

臥位（背臥位）

● 側臥位（side lying position）

背臥位を基準として左右どちらかに90°回転した，いわゆる横向きに寝た姿勢である。側臥位は，支持基底面が長く狭く，背臥位と比べて重心位置がわずかに高いため，前後方に倒れやすく不安定な姿勢である。主に排痰姿勢や褥瘡予防などさまざまな臨床場面で活用される姿勢である。

● 腹臥位（prone lying position）

背臥位を基準として180°回転した身体前面を床（下方向）に向けた，いわゆるうつ伏せに寝た姿勢である。頭頸部は，呼吸などの問題が生じるため左右一側に回旋させることが多い。

❷ 座位・立位

● 座位（sitting）

椅子座位，端座位，長座位，半座位，正座，胡座などの姿勢である。具体的に，いす座位は背もたれのあるいすに座ることを指し，端座位はベッドなどから両下肢を下ろして座ることを指す。座位は，食事をするとき，パソコンを使用しての作業などさまざまな日常生活場面でとる姿勢である。

座位（端座位）

● 立位（standing）

日常生活場面で頻繁に行う姿勢である。立った状態で作業する，洗濯物を干すなど立位姿勢を保つことや片脚を上げるなどや立位から派生した姿勢を指す。立位は背臥位に比べて支持基底面が狭く，重心位置も高い。

❸ 寝返り・起き上がり

● 寝返り（rolling）

臥位からの別の臥位へ姿勢を変換する最初の動作である。例として背臥位→側臥位，腹臥位→背臥位になる間の動作を指す。特に寝返りは，起き上がり動作につながる重要な移行運動のひとつとされる。

● 起き上がり (sitting up)

　臥位から上半身を起こして座位へ姿勢を変換する動作である。例として背臥位→端座位・長座位などの動作を指す。特徴として，背臥位と比べて支持基底面および重心の高さと位置が大きく変化する。

起き上がり

4 立ち上がり (stand up sit-to-stand)

　端座位から立位，長座位から立位など姿勢を変換する動作である。起立動作とも呼ばれる。立ち上がり動作は，端座位と比べて支持基底面が小さく，重心の高さと位置が大きく変化する。また，移乗動作や歩行動作に必要な構成要素を多く含む。

立ち上がり

5 歩行 (walking, gait)

　立位姿勢を保持しながら身体全体を移動させる複雑な動作である。歩行は，他の基本動作と比べて支持基底面が小さく，重心が高く，重心位置が大きく変化する。

歩行

6 移乗動作 (transfer)

　ベッド（プラットホーム）から車いす，車いすからトイレの便座に乗り移る動作を指す。移乗動作は，座位→立ち上がり動作→立位保持→方向転換→着座というように姿勢変換を伴う。特に車いす使用者にとっては日常生活場面で頻回に行う動作のひとつといえる。

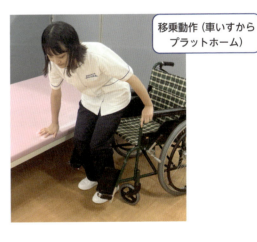

移乗動作（車いすからプラットホーム）

 アクティブラーニングのヒント
▶ 普段の生活でどのような基本動作を行っているか考えてみよう。
▶ 実際にさまざまな基本動作を行い，用語の確認と各動作の特徴について考えてみよう。

COLUMN

・健常者における基本動作（特に寝返り，起き上がり）の運動パターンは，豊富かつ多様な運動パターンが存在する。
・前傾側臥位：側臥位から前傾し，腹臥位に近い姿勢で「半腹臥位」ともいわれる。
・体位変換：自力で姿勢を変換できない人に対して，他動的に体位を変換することを指す。

4章 理学療法の方法Ⅱ

基本動作練習Ⅱ

POINT

- ✓ 理学療法では基本動作の評価と練習が行われることが多く，直接動作を練習することに加え，動作ができない原因となっている機能障害に対するトレーニングも別に行う❶。

- ✓ 理学療法士は，対象者に適した動作の方法・パターンを検討して，**新しい動作の学習**という視点で練習を進めていく❶。

- ✓ これらの考え方，進め方は日常生活活動練習と通じるものがある。

1 基本動作と身体機能

たとえば，歩行ができない原因として，
1. 下肢（足全体，脚）の筋力低下や麻痺により体重を支えられない・前に出せない，
2. 下肢の関節が固く（関節可動域低下）足の裏が床につかず，膝や腰を伸ばすことができない，
3. 膝が痛くて（疼痛）体重がかけられない，
4. 体幹（胴体）が安定せずふらつく（バランス低下），

などの身体機能障害が考えられる（図1）。

図1 関節可動域制限による動作困難

足関節の関節可動域制限（足首が固い）は，しゃがみ込み動作ができない原因となる

このように，基本動作障害の原因である身体機能の評価とトレーニングを理学療法士は行う。その動作に必要な筋力や関節可動域が明らかになっている基本動作は，それを基準として利用する（図2）。

2 基本動作と学習

基本動作練習にあたり，対象者に適した動作方法・手順を理学療法士は検討する。この際，身体機能の状態，ベッド・車いすや手すりなどの福祉用具，義足や下肢装具（足に装着する装具）などの義肢装具，住まいの床や敷居などの住環境などを含めて総合的に考慮する（図3）。

「今までと異なる方法や手順の動作である＝新たな動作を学習する」，「動作の獲得までに長期間かかることが予想される＝いかに練習を続けてもらうか」との視点に立ち，「失敗をできるだけ回避する練習，動機づけ（無誤学習）」が必要である（図4）。

図2 基本動作と筋力の関係（例）

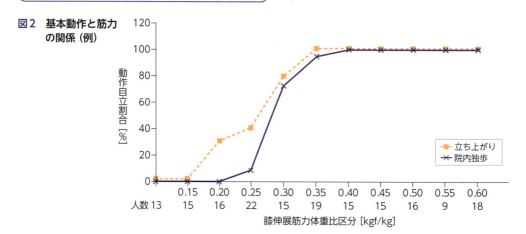

図3 歩行練習において身体機能以外に考慮する要因（例）

下肢装具・義足

目的によって歩行練習もさまざまな設定が考えられる。

歩行補助具（支持物）

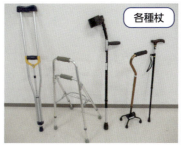

平行棒

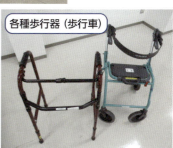

各種杖　各種歩行器（歩行車）

図4 起き上がり練習における無誤学習（例：左片麻痺者）

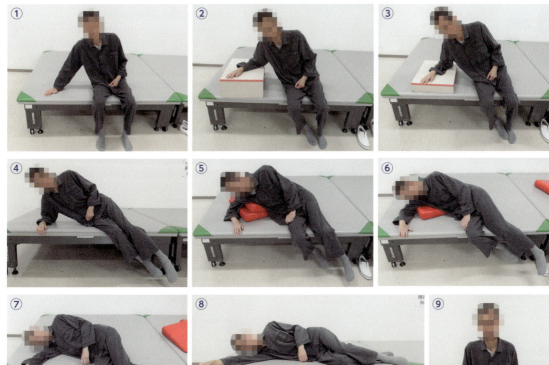

⑧から開始して⑨になる練習ではかなり難しい場合，①➡⑨，②➡⑨，……，⑧➡⑨の順に練習の難易度を段階的に引き上げていく方法で，失敗をできるだけ少なくする。たとえば，1日3回練習し，2回連続成功により次の段階へ移行する。都度，成功した段階や回数を対象者にフィードバックして，改善を実感してもらう

4章 理学療法の方法Ⅱ

義肢・装具／車いすや杖の検討

POINT

- ✔ **義肢**❶は，生まれつき（先天的に）あるいは病気やけがで（後天的に）欠損（切断・離断）した手足を人工的に補うものであり，機能・能力を補うタイプもある。

- ✔ **装具**❷は，生まれつき（先天的に）あるいは病気やけがで（後天的に）低下した機能を補うものである

- ✔ **車いすや杖，歩行器**❸〜❺は義肢・装具とともに移動補助具の一種であり，歩行困難者の移動能力を補う。

- ✔ 理学療法士は対象者の機能や能力，生活環境などについて評価を行ったうえで，補助具の適合状態やアライメントの確認・調整，使用下での歩行など移動動作練習を行う。そのために義肢装具をはじめとする移動補助具の種類や特徴を把握しておく必要がある。

1 義肢

上下肢を人工的に補う義肢には，その欠損部位によってさまざまな種類がある。上肢の義肢は「義手」，下肢の義肢は「義足」と言われる。

● 大腿義足

大腿切断の場合は，大腿義足の適応となる。

大腿義足は断端を収納する「ソケット」，膝関節部分にあたる「膝継手」，下腿部分にあたる「支柱」，足部分にあたる「足部」からなる（図1）。

● 下腿義足

下腿切断の場合は，下腿義足の適応となる。

下腿義足は「ソケット」，「支柱」，「足部」からなる。ソケット懸垂用の「膝カフ」がついているものもある。

● その他の義足

股関節離断や大腿極短断の場合に適用となる「股義足」や足関節以位の離断・切断に適用となる「足義足」がある。

● 義足の適合・アライメント評価

皮膚の状態や痛みの評価からソケットの適合状態を確認する。また歩行評価により異常歩行を観察することで適合状態やアライメントを評価する。

図1 大腿義足の構成と各部の名称

表面にコスメティックカバーを付けて脚の形にする場合もある。

① **ソケット**：図は吸着式（ソケット下部に吸着式バルブがある）である。大腿の残った部分である断端と義肢の接続部で，装着感や，義足の目的と，義足の目的を達成するために非常に重要な役割をもつ。

② **膝継手**：股義足と大腿義足には大腿部と下腿部をつなぐ人工膝関節。

③ **支柱**：骨格大腿義足では金属支柱が用いられる。

④ **足部**：サッチ足には足継手はなく，踵にクッションが入っている。

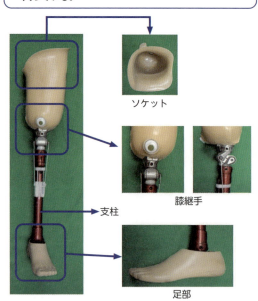

ソケット

膝継手

支柱

足部

（写真は第47回理学療法士国家試験より転載）

義足歩行では，筋力低下等，身体機能低下によるものだけでなく，ソケットの不適合やアライメント不良によって特異的な異常歩行が観察される。義足を日常的に使用するには，義足の各部位が正しく配列されソケットが断端に適合していることが確認されたうえで，正しく装着されている必要がある。

アクティブラーニングのヒント

- ▶ 大腿・下腿義足のソケットにはどのような種類があるか調べてみよう。
- ▶ 義足歩行ではどのような異常歩行があるか調べてみよう。

COLUMN

- 切断・離断の原因は，近年，糖尿病や閉塞性動脈硬化症（ASO）などの循環障害による高齢者の切断者が多くなっている。 （arteriosclerosis obliterans）
- 義手について，日本では欠損部位を補うだけの**装飾義手**が主流である。肩に装着したハーネスにより手先具での把持を可能にする**能動義手**（図2）や神経信号により手先の動作を再現する**筋電義手**があるが，見た目や重さ，使用の難しさなど普及への課題がある。

図2　能動用義手の構成と各部の名称

①ソケット：上腕の断端を収める。
②ハーネス，③ケーブル：上肢と上肢帯でハーネスを動かし，ケーブル（ケーブルハウジングの中を通る）で伝えて肘と手先部を動かす。
④上腕支持部，⑤前腕支持部：義手の骨格となる。
⑥肘継手：人工の肘関節となる。
⑦手先具：能動フック（手鉤型に彎曲した2本の金属指）が付いている。ケーブルを引くと閉じるタイプと逆のタイプがある。

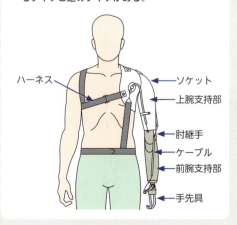

2 装具

対象部位により体幹，上肢，下肢装具がある。

● 体幹装具

主に頸部・体幹（胸腰椎）を固定するための機能補助を目的として使用される（図3）。

図3　体幹装具／体幹装具例

a. ジュエット型装具

b. 軟性コルセット

一般社団法人日本義肢協会　義肢・装具カタログより抜粋

● 上肢装具

関節の固定（保持）を目的とする静的装具と関節の動きを補助する動的装具がある（図4）。

図4　上肢装具／上肢装具例（橈骨神経麻痺用装具）

a. コックアップスプリント（静的装具）

b. オッペンハイマー型装具（動的装具）

一般社団法人日本義肢協会　義肢・装具カタログより抜粋

- **下肢装具**

　関節の固定（保持）用装具と歩くために関節の機能補助をする装具がある。

　歩くための下肢装具には，その長さにより長下肢装具と短下肢装具があり長下肢装具は膝・足関節の機能を補助し，短下肢装具は足関節の機能を補助する（図5）。

図5　下肢装具

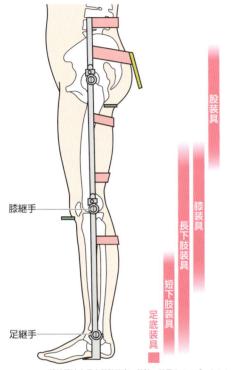

一般社団法人日本義肢協会　義肢・装具カタログ．をもとに作成

- **短下肢装具**

　短下肢装具には靴型の足部構造に足継手と金属支柱がついた金属支柱付き短下肢装具（AFO，図6a）とプラスチック性で足関節の底屈を制限するプラスチック式短下肢装具（SHB，図6b），靴べら式短下肢装具がある。

図6　短下肢装具例

a. 短下肢装具　　b. プラスチック式短下肢装具

◎金属支柱付き短下肢装具の評価と調整

　短下肢装具は脳卒中後の片麻痺患者で使用されることが多い。足関節の機能（麻痺の状態）に応じて，PTが足継手の補助機能を調節する。

COLUMN

　足継手のひとつにダブルクレンザック継手（図7）がある。2本のネジにより足関節の固定や可動域の調整ができる。

図7　ダブルクレンザック足継手

アクティブラーニングのヒント

▶長下肢装具の「膝継手」にはどのような種類のものがあるか調べてみよう。

3 車いすの種類

　操作方法によって自走式，介助用，電動式があるが，量販型されている一般的な自走式車いすは操作に一定の力を要するため実際には長時間の自走は困難な場合が多い（図8a）。

　介助用車いすは車輪が小さく取り回しが容易であるなど，介助者が操作しやすいように工夫されている（図8b）。リクライニング機能があれば車いすに座ったまま臥位に近い姿勢をとらせることが可能である（図8c）。

　既成品として購入後，ある程度カスタマイズが可能なモジュール式車いすもある（図8d）。

　特殊なものとして，軽量化し操作性に特化した脊髄損傷者用の車いすや競技用車いすもある。近年は電動車いすも普及が進んでいる。

4 杖の役割と種類

　杖は立位や歩行における支持物として，主に下肢の免荷と安定性補助の役割がある。

　下肢の免荷は，上肢へ荷重を分散することによって可能となる。代表的なものに松葉杖がある（図9a）。

　T字杖（図9b）に代表される一脚杖や多脚杖，ロフス

トランドクラッチは，松葉杖に比べると免荷の役割は少ないが，杖をつくことにより支持基底面が広がり立位・歩行の安定性が増す。

四点杖をはじめとする多脚杖は，持ち手部分はT字杖と同じであるが，杖先の多点支持により支持基底面が広がるためT字杖より支持性が高い。

ロフトランドクラッチは，肘をロックした状態で前腕をカフにはめて使用することにより肘を伸ばす力（上腕三頭筋）が弱い症例でも上肢支持が可能になる（図9c）。

その他，特殊なものとしてはリウマチ症例用のリウマチ杖などがある。

● 杖の適合と調整

杖の高さは，立位で肘を軽く曲げ，足先前15cm・外側15cmの位置に杖先をつき，グリップ（握り）部や腋窩当ての高さで評価する。

グリップの高さは大腿骨大転子の高さと同じになるようにする（図9b）。松葉杖の腋窩当ては，腋窩から**3横指程度離れる高さ**にし，荷重をせず脇に挟むようにする。

> **COLUMN**
>
> 松葉杖の腋窩当てに長時間荷重をすると腋窩神経が圧迫され腋窩神経麻痺が生じることがあるため注意が必要である。腋窩神経麻痺になると，肩の感覚障害や腕が挙がらないなどの症状が出る。

5 歩行器について

杖より支持性の高い歩行補助具として歩行器，歩行車（ウォーカー）がある（図10）。

歩行器や歩行車は支持基底面が広く，それ自体が安定しているため，下肢の支持性が著しく低い症例の歩行を可能にする。

歩行器には持ち上げ型（ピックアップ歩行器）のほか，左右交互に持ち上げることで常に3点指示を可能にする交互型や平地では持ち上げる必要のない車輪付きのものがある。

図8　車いすの種類

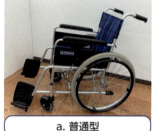
a. 普通型

b. 介護型（一般）

c. リクライニング式

d. モジュール型

図9　杖の種類

a. 松葉杖

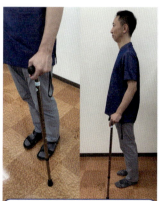
b. T字杖

c. ロフストランドクラッチ

図10　歩行器

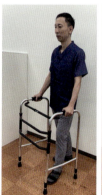

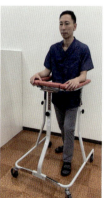

4章 理学療法の方法Ⅱ

日常生活活動練習

POINT

- ✓ リハビリテーション医療の目的である「実用的な日常生活における諸活動の実現」[1]の主要な活動に日常生活活動などが挙げられる。

- ✓ 身の回り動作や移乗移動動作である日常生活活動（ADL）❶，家事や周辺地域などでの活動である日常生活関連活動❷があり，両者を合わせて広義の日常生活活動（ADL）と表現される場合もある。

- ✓ 基本的日常生活活動，手段的日常生活活動，両者を合わせて拡大日常生活活動と表現される場合もある❸。

- ✓ 動作方法は，身体機能に加え，福祉用具，義肢装具，住環境を含めて総合的に検討する❹。

- ✓ 理学療法では日常生活活動に量的および質的に対応していく。練習は単なる「身の回り動作の介護」ではない❹。

- ✓ ADLの改善はQOL（quality of life：生活の質）の改善にもつながるが，たとえADLに介助を要してもQOLは高いこともある。

1) 厚生労働省：診療報酬リハビリテーション通則．(https://www.mhlw.go.jp/topics/2008/03/dl/tp0305-1d_0014.pdf) 2023年10月閲覧

❶ 日常生活活動
(activities of daily living：ADL)

日本リハビリテーション医学会によると，ADLとは「ひとりの人間が独立し生活するために行う基本的な，しかも各人ともに共通に毎日繰り返される一連の身体動作群をいう。（以下略）」と定義されている[2]。

日常生活を過ごすうえで最低限必要とされる動作であり，1.食事，排泄，更衣（着替え），整容（洗面，歯磨き，整髪など），入浴などの「身の回り動作，身辺動作（self care）」，2.それらを行うために必要な手段である，車いすや便座への移乗，歩行，車いす駆動，階段などの「移乗・移動動作」からなり，3.コミュニケーションを含める場合もある（図1）。

2) 日本リハビリテーション医学会：ADL評価について．リハ医学 13：315, 1976.

図1 身の回り動作

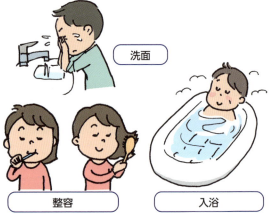

2 日常生活関連動作 (activities parallel to daily living：APDL)

ADLが家屋内の身の回り動作であるのに対して、APDLは屋外や周辺地域などのより広い生活圏も想定した動作である。

炊事、洗濯、清掃、買い物などの家事や交通機関の利用、金銭管理、服薬管理、電話対応やスケジュール管理、趣味活動などが挙げられ、同居者の有無や人数、そのなかでの役割など生活状況により異なる。

3 拡大日常生活活動

日常生活活動 (ADL) を基本的日常生活活動 (basic ADL：BADL)、日常生活関連動作 (APDL) を手段的日常生活動作 (instrumental ADL：IADL)、BADLとIADLを合わせて拡大日常生活活動 (extended ADL：EADL) と表現する場合もある (図2)。

図2 日常生活活動とその例

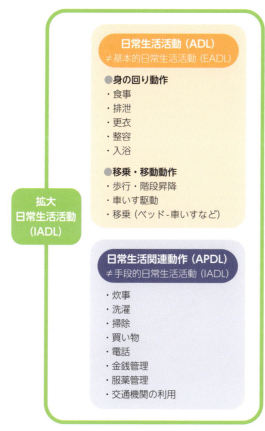

4 理学療法と日常生活活動練習

理学療法では、日常生活活動が評価、介入、目標の対象となる場合が多い。活動が「できる・できない」以外に、介助量、所要時間、方法 (やり方) など、量的および質的にみていく。

ADL練習では、**1.**その方の障害と、ベッド、車いすや手すりなどの福祉用具、下肢装具 (足に装着する装具) などの義肢装具、床、敷居、トイレや浴室内の構造などの住環境を含めて総合的に検討し、**2.**ADL自体あるいは近い設定で練習をする。その他、必要に応じて**3.**ADLに必要な基本姿勢や動作の練習をする。さらに、**4.**動作が困難である原因になっている身体機能を別にトレーニングする場合もある。これらは基本動作練習でも同様である (図3・4)。

理学療法士などのセラピストは「**できるADL**」を高め、それを看護師などの病棟スタッフとの協業、連携により実生活で「**しているADL**」にすることを目指す。

ADL練習では、「今までと異なる方法や手順の動作である＝**新たな動作を学習する**」「動作の獲得までに長期間かかることが予想される＝いかに練習を続けてもらうか」との視点に立ち、「失敗をできるだけ回避する練習、動機づけ (**無誤学習**)」が必要である。

したがって、理学療法士が行う日常生活活動練習は、たとえばトイレがひとりではできない方に対して、単純にトイレ介助を繰り返す「身の回りの介護、介助、世話 (ケア)」ではない。

なお、ADLの改善はQOL (生活の質、人生の質) の改善にもつながるが、たとえADLに介助を要してもQOLは高いこともある。理学療法、リハビリテーションではQOLの視点も重要である。

図3 日常生活活動練習とそれに関する練習例（トイレ動作）

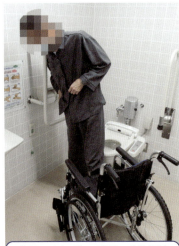

①車いすトイレで移乗⇒立位保持

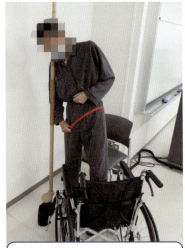

②リハ室縦手すり・車いす・便座に見立てたいすの設定でセラバンドを下げる

③立位バランス練習

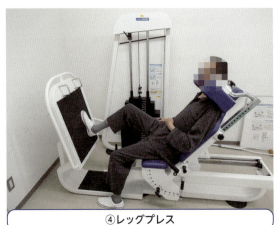

④レッグプレス

[トイレ動作]
①実際のトイレで練習（日常生活活動練習）
　↓
②リハビリテーション室でトイレを想定した練習（日常生活活動練習）
　↓
③動作手順のひとつである立ち上がり・立位練習（基本動作練習）
　↓
④立ち上がりに必要な運動機能のトレーニング（筋力トレーニング）

COLUMN　身体機能が十分でも動作はできない

たとえば，利き手と反対の手で箸を使う練習（利き手交換）では，腕や手の筋力，関節可動域や感覚に障害はないにもかかわらず，また，利き手では容易に箸を使っているにもかかわらず，いきなり断面が丸い塗り箸で大豆をつまむ練習からはじめると，すぐに手のひらの筋が痛く，つりそうになり，ほんの数分で挫折する。

断面が四角い割り箸で立方体に切ったスポンジから始めるなど，失敗をできるだけ回避して達成感を得ながら段階的に実用に近づけていく（無誤学習）。なお，単純にピンセット状の箸を使って食べる練習をすることもある。

図4　日常生活活動に考慮する因子（例）

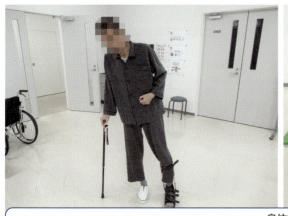

a. 身体機能
基本姿勢や動作の状態，麻痺・筋力や関節可動域などの身体機能

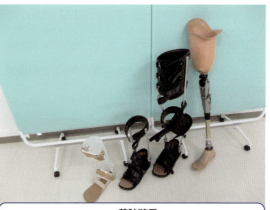

b. 福祉用具
車いす・杖，ベッド，工夫した箸など

c. 義肢装具
下肢装具，義足など

d. 住環境
床の材質，扉のサイズ，
敷居，段差など

廃用症候群

POINT

- 横になって過ごしている間が長い，身体を動かす量が少ないような身体の不活動の状態が続くと，身体や精神の機能が低下し，==さまざまな症候==❶が出る状態を廃用症候群という。
- 健常者でも風邪で1週間寝込むと体力が落ちるように，廃用症候群は，理学療法の対象のすべての人で生じ，==日常生活活動==の自立度を低下させる。
- 廃用症候群になると諸臓器の機能がさらに低下し，身体の不活動状態を招いて廃用症候群を悪化させる==悪循環==❷に陥る。
- 下肢の筋群は1日の臥床で1～2％筋力が低下するといわれるように，身体の不活動状態が長く続いた者ほど，運動と精神の機能の悪影響は大きくなる。
- 寝て過ごす時間を短くし，立位や歩行へ進める離床と抗重力位姿勢での活動時間を長くなるように働きかけることは理学療法士の重要な役割である。
- 廃用症候群とは異なるが，筋肉量と筋力の低下した状態を==サルコペニア==，高齢期の不健康を引き起こしやすい状態を==フレイル==という。

1 廃用症候群でみられるさまざまな症候

筋萎縮・筋力低下	筋肉が痩せ衰える。高齢者では2週間動かないことによって，下肢の筋肉が2割も萎縮するといわれる。このため，歩行障害や転倒の原因となる
関節拘縮	関節の動きが悪くなる。立ち上がりや歩行といった身体運動は，筋肉の収縮が関節を動かすことで生じる。関節拘縮は関節の動きを制限させ，バランス低下や非効率な動作，転倒の原因となる
起立性低血圧	体を起こしたり立ち上がるとふらつく。循環する血漿（血液から赤血球，白血球，血小板などの血球成分を除いた液体成分）量の減少，血管運動を調節する機能の障害，心臓機能の低下により，めまいや失神の症状を起こす
骨萎縮	骨が脆くなる。転倒の際に手や足の骨折をしやすくなる。いすに勢いよく座ったりした場合に，脊椎を骨折することもある
沈下性肺炎	肺炎を起こしやすくなる。長い間，上を向いて寝た状態でいる人は，気管に唾液などが流れてしまい，誤嚥の状態となり，痰が肺の背側に詰まることで肺炎を起こしやすくなる
精神機能・認知機能の低下	場所や時間がわからなくなる見当識障害，精神的に落ち込むうつ状態，軽度の意識混濁のうえに目には見えないものが見えたり，混乱した行動をしたりするせん妄などを生じる
血栓塞栓症	血管に血の塊が詰まる。筋肉の収縮と弛緩はポンプ作用を生じさせ血流を生じさせるが，筋肉を使わないと血流の停滞，循環する血漿量の減少などによって血液が固まりやすくなり血栓が生じる
その他	・基礎代謝量が低下し，血中のタンパク質（アルブミン）が減少する ・不活動により，膀胱内の尿が混ぜられる機会が少ないため不純物が沈殿しやすくなり，尿路感染症，腎結石などを合併しやすくなる ・床ずれといわれる皮膚に傷ができる褥瘡なども起きやすくなる

1

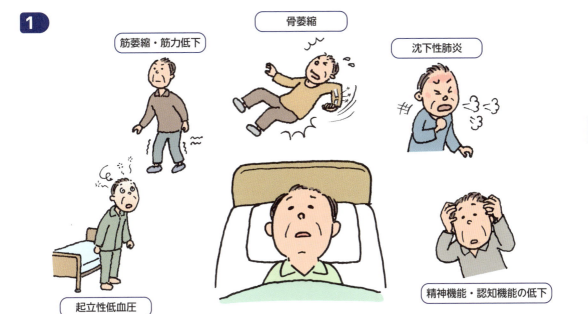

2 廃用症候群による悪循環

廃用症候群になると，わずかな活動によっても疲労や痛みなどの不快な症状が出現する。このため，さらに活動をしない，寝た状態で過ごす時間が増え，廃用状態を招く悪循環に陥る。

 アクティブラーニングのヒント

▶厚生労働省が示す1日の目標歩数を調べてみよう。
▶サルコペニアを調べてみよう。
▶フレイルを調べてみよう。

少ない身体活動量・長い臥床時間 → 廃用症候群の出現
廃用症候群の増悪
廃用症候群の助長
身体活動量のさらなる低下，臥床時間のさらなる増加
筋力低下，関節拘縮，起立性低血圧などの出現
身体活動の実施
易疲労，痛み，めまい，息切れなど不快な症状の出現

COLUMN　起立性低血圧への対応

廃用症候群の悪循環を断ち切るには，体を起こし，運動することが必要である。しかしながら起立性低血圧が生じると離床（体を起こし，ベッドを離れて生活の範囲を広げていくこと）や運動ができない。このような場合には，座位保持時間を確保することが必要になる。このときの座位姿勢は，ベッド端や車いすに座ったときのように足を垂らすことが重要であり，この姿勢を1日合計4時間以上とることが最初の目標になる。座位をとり始める際には，弾性ストッキングを着用したり，食後を避けるなどしたりし，血圧が低下しないようにする。

5章 理学療法の対象の理解 I

神経疾患 I：中枢神経疾患（脳卒中）

POINT

✓ 認知症と並び，介護が必要となる主要な原因である。

✓ ダメージを受けた大脳とは反対側の半身が麻痺する（**片麻痺**）が典型的な症状であるが，麻痺の程度も個人差が大きく，その後，麻痺側の手足の筋肉が勝手に収縮して力が入った状態（**痙縮または痙性**）❶となる場合もある。

✓ ほかにもいろいろな症状が出現する場合があり❶，多様な症状やそれによる介護や経済的問題などに対応するために，患者と家族，医師，看護師はじめ多くの職種が関わることが多い。

✓ 麻痺した半身の回復❷，バランス❸など**失われた機能の回復**を目指す理学療法も実施するが，**後遺症**が残る場合も多い。

✓ そのため，運動・活動不足による機能低下（**廃用症候群**）の予防として，**麻痺とは反対側を含めた運動**❹❺，また，生活上で行う「立つ，歩く」などの**基本動作練習**❻，「トイレ，食事，買い物」などの**日常生活活動の練習**❼も実施する。

✓ 姿勢や動作時に，機能や動作を補助する道具の利用，住宅改造などの環境調整，介護者に対する動作介助指導なども行う。

1 どんな病気？

痙縮：時間が経つと，自分の意思とは関係なく力が入り（筋肉が収縮し），関節が固くなりやすい

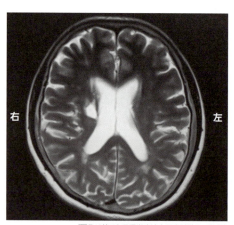

（画像は第49回理学療法士国家試験より転載）

脳は体の各部の動き（運動）の指令を出す，各種感覚の情報を受け取るなど，人のすべてに関与する。右脳（右大脳）は左の手足，左脳は右半身の運動を司る。脳卒中は，脳の血管が詰まる（脳梗塞）か，破れること（脳出血）により，脳がダメージを受ける病気である。典型的な症状は片麻痺であり，ほかにも意識，注意，思考，ことば，麻痺側の感覚など，ダメージを受けた脳の部位に応じた症状が現れる。

📶 **アクティブラーニングのヒント**
▶ 脳卒中の症状を調べてまとめ，発表しよう。
▶ 要介護の原因疾患を介護度別に調べてみよう。

2 麻痺側下肢の運動

膝を伸ばす運動を反復する。
電気刺激を用いて補助する方法もある

3 座位バランス練習

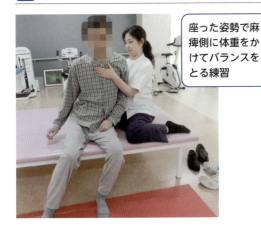

座った姿勢で麻痺側に体重をかけてバランスをとる練習

4 関節可動域訓練

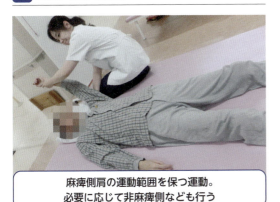

麻痺側肩の運動範囲を保つ運動。
必要に応じて非麻痺側なども行う

5 筋力トレーニング

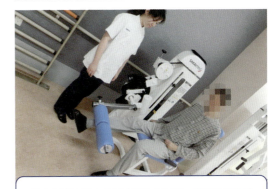

非麻痺側の膝を伸ばす筋力を維持・増強する運動

6 歩行練習

平行棒と下肢装具を使用

7 トイレ動作練習

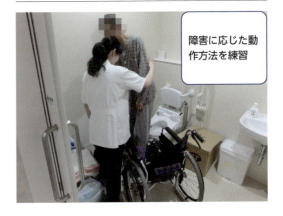

障害に応じた動作方法を練習

COLUMN　理学療法は麻痺を回復させる？

　数十年前は麻痺の回復を促す理学療法テクニック（ファシリテーション：Facilitation＝促通）が多く用いられていた。しかし，効果の証明は不十分であり，『脳卒中治療ガイドライン2021』では，単語さえも消えた。それに対して，磁気や電気刺激，ロボットを併用した運動などの効果が示されている。

神経疾患Ⅱ：中枢神経疾患（パーキンソン病）

POINT

- ✓ パーキンソン病（PD）は，中脳の**黒質の変性**[1]により発症し，運動障害の四大徴候として**強剛**[2]，**振戦**[3]，**姿勢反射障害**[4]，**無動**[5]が出現する．それ以外にも，**すくみ足**[6]，表情の変化が少ない（仮面をかぶったような表情），よだれなどの症状が出現する．

- ✓ 非運動障害として，睡眠障害，嗅覚異常，意欲低下，便秘，起立性低血圧，抑うつなどが存在し，多くは運動障害に先行して出現する．

- ✓ 多くは**進行性**[7]であり，時間の経過とともに症状が悪化し，すべての日常生活活動（ADL）に介助が必要となる．

- ✓ 運動障害が目立ち，基本的動作能力が困難となるため，理学療法では現在の運動機能や生活能力を可能な限り維持することを目的として**運動療法**[8]が行われる．

1 黒質の変性

円滑な運動を実施するために，中脳の黒質という部分でドーパミンが生成される．脳から指令される運動神経を伝える正しく神経伝達物質であるが，PDでは黒質の細胞が減るためドーパミンの生成が減少する．ドーパミンは，身体の動きを調節する作用があり，PDでは不足が生じるために身体の動きに支障をきたす．

2 強剛

関節を動かす際，平常は円滑に動き抵抗はない．しかし，上肢や下肢，頭部を動かすと抵抗感が強くなり筋緊張が亢進した状態を示す．関節可動域全般に抵抗を感じる状態を鉛管現象，または抵抗の強弱が出現する歯車様現象などが特徴的である．

3 振戦

安静時に振戦（震え）が生じ，運動を行うと消失する（安静時振戦）．1秒間に4～6回（4～6Hz）の周期性がある振戦で，丸薬を丸めるような動きと表現される．

4 姿勢反射障害

身体を正中に保つことが困難になる状態であり，バランスをとる能力が障害される．頸部を前方に突出させ，上半身が前かがみになり，膝関節股関節を屈曲させた前傾姿勢が特徴的である（立位前傾前屈姿勢：図1）．体軸の位置がわからず，斜めに傾斜するピサ徴候（図2）も認められ，いずれもまっすぐに姿勢を保持することが困難となる．

図1 姿勢反射障害により発生する立位前傾前屈姿勢

図2 ピサ徴候

5 無動

すべての関節運動，随意運動がゆっくりとなり時間を要する状態である．PDの中核症状であり，動き始めに時間を要する点が特徴的である．

6 すくみ足

PDに特徴的な無動，姿勢反射障害の影響で歩行時に影響が出現する．足を前に出そうとしても前に出せないすくみ足，歩行を開始すると前のめりになって加速する突進現象（加速歩行）などが代表的である．

7 進行性

PDの臨床症状から症状の重症度を示すHoehn & Yahrの重症度分類を用いて状態を判定される．一側性の障害から始まり，両側に移行した後は基本動作や日常生活に介助を要するという経過で分類される．

8 運動療法

PDに対する運動療法の目的は，現在の運動機能を可能な限り維持することであり，
①拘縮や変形の予防（図3），
②運動機能の改善，
③基本動作能力・歩行能力（column参照）・ADL能力の維持，を目指す．

図3 拘縮や変形の予防

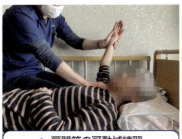
a. 肩関節の可動域練習

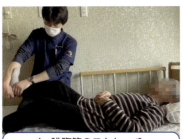
b. 腓腹筋のストレッチ

c. 股関節の可動域練習

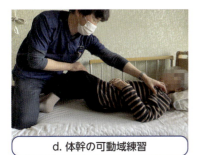
d. 体幹の可動域練習

アクティブラーニングのヒント
- パーキンソン病の症状についてまとめてみよう．
- オン・オフ現象について調べてみよう．
- パーキンソン病とパーキンソニズムの違いについて調べてみよう．

COLUMN

無動の影響から，運動の開始や方向転換，リズミカルな歩行ができなくなる．「いち・に・いち・に」などの掛け声に合わせた歩行の誘導や，床に一定間隔の線を引き，その線を跨がせるような指示などで歩行が可能となることが多い．

神経疾患Ⅲ：中枢神経疾患（脊髄損傷）

POINT

- ✔ 脊髄損傷は脊椎の脊柱管の中に入っている中枢神経である脊髄がダメージを受けることで生じる**1**。
- ✔ 完全麻痺で四肢麻痺の場合の理学療法の例を示す。筋力増強運動と並んで体の柔軟性を高める運動**2**を行う。
- ✔ 座位でさまざまな動作を行うため、長座位や端座位でバランスをとる練習**3 4**を行う。
- ✔ 起居動作練習**5**は、座位バランスの向上にも有効である。
- ✔ 完全麻痺で四肢麻痺の場合、車椅子が移動手段となることが多い。ベッドなどから車いすに乗り移る動作（移乗動作）**6**は、日常生活の自立に向けて重要である。また車いすを駆動する練習**7**も行う。
- ✔ 殿部などに褥瘡が発生しやすいため、褥瘡の予防に向けた取り組み**8**は必須である。
- ✔ 日常生活を確立するためには、福祉機器の導入や住宅改修など、その方に適するように生活環境の調整を行うことが必要な場合も多い。

1 脊髄の損傷部位と麻痺が生じる身体部位の関係

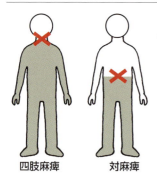

×：損傷した脊髄の部位
■：麻痺している部位

脊髄がどの部位で損傷しているかによって、麻痺が生じる体の範囲が決まる。頸部の脊髄（頸髄）が損傷した場合は四肢麻痺、胸部、腰部の脊髄（胸髄、腰髄）が損傷した場合は対麻痺を生じる。

四肢麻痺　　対麻痺

脊髄が損傷すると、損傷部位以下に運動、感覚、自律神経に麻痺が生じる。脊髄損傷の発生原因は、外傷によるものと外傷以外の原因によるもの（非外傷性と呼ぶ）に大別される。脊髄がどの程度損傷されているかにより、麻痺の程度が左右される。損傷部位以下の運動と感覚が完全に麻痺している場合は完全麻痺、一部が麻痺している場合は不全麻痺という。脊髄損傷には多彩な合併症や随伴症状（呼吸機能障害、排尿障害、排便障害、褥瘡、自律神経障害など）が生じる。

2 関節可動域練習

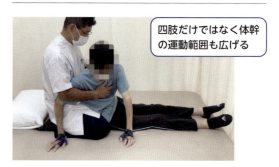

四肢だけではなく体幹の運動範囲も広げる

3 長座位バランス練習

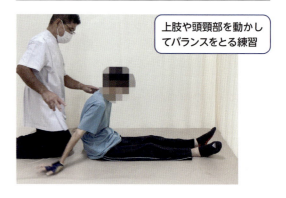

上肢や頭頸部を動かしてバランスをとる練習

4 端座位バランス練習

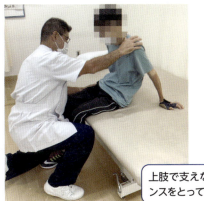

上肢で支えながらバランスをとって動く練習

5 起居動作練習

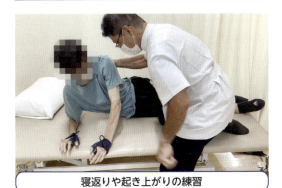

寝返りや起き上がりの練習

6 移乗動作練習

車いすからベッドや便座，自動車などへ乗り移る動作の練習

7 車いす駆動練習

車いすを駆動する練習。前輪（キャスターという）を上げる練習も行う

8 褥瘡予防教育

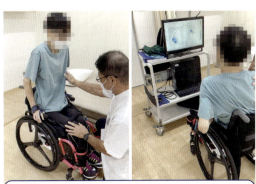

殿部に発生しやすい褥瘡を予防する方法のひとつとして，殿部の圧力を取り除く動作（除圧動作）の練習を行う。殿部の圧力を視覚化するために座面の圧力計測を行う

ア アクティブラーニングのヒント

- ▶脊髄損傷の機能障害に関する評価や神経学的評価について調べてみよう。
- ▶脳から上下肢へはどのように運動の信号が伝わるか，上下肢からの感覚はどのように脳に伝わるかを調べてみよう。
- ▶不全型脊髄損傷の種類を調べてみよう。
- ▶完全麻痺の人の排尿方法について調べてみよう。
- ▶脊髄損傷ではなぜ褥瘡が発生しやすくなるか調べてみよう。
- ▶完全麻痺で下肢がまったく動かない人はどのように車を運転するか調べてみよう。

COLUMN 下肢・体幹よりも上肢の麻痺が重篤な場合（中心性頸髄損傷）について

　不全型麻痺は臨床症状によりいくつかの分類がある。頸髄不全損傷のなかに，下肢・体幹よりも上肢の麻痺が重篤（じゅうとく）になるものがある。脊髄の中心部の損傷が周辺部位より強い場合に生じ，中心性頸髄損傷という。なかには歩行が可能となっても手の麻痺により，日常生活活動（ADL）の自立が難渋する場合がある。

整形疾患Ⅰ：変形性膝関節症

POINT

- ✓ **変形性膝関節症**[1][2]は中高年の方，特に女性に多くみられる疾患で，膝関節周囲の筋力低下による膝関節の不安定性増加や膝関節の軟骨成分が変性することで徐々に軟骨が摩耗し，膝の痛みが出現する疾患である。

- ✓ 発症初期は，歩行や体動時に膝のつっぱり感などの違和感や軽度の疼痛が出現する。中期になると動作時の疼痛が強くなるとともに，関節可動域の制限が出現するため，歩行や日常生活に支障が出始める。末期では動作時だけでなく安静時にも強い疼痛が出現し，膝関節の強い変形により歩行が困難になる。

- ✓ **変形性膝関節症の治療**[3]には理学療法を中心とした保存療法，薬物療法による疼痛コントロール，手術などの観血療法がある。**理学療法**[4]は運動療法や装具療法，物理療法など多岐にわたり，保存療法だけでなく手術などの観血療法後にも行われ，患者の機能回復を担う重要な療法のひとつである。

1 変形性膝関節症の基礎知識

変形性膝関節症は50〜60歳代以降の男女に発症するが，特に女性に多く発症することが知られており，男女比では約1：2であるとされている。発症に至るリスクファクターは年齢，性別（女性），肥満，外傷であり，明らかな原因がなく，加齢や肥満による慢性的な関節への荷重ストレス偏倚により発症する一次性と，外傷や半月板切除，関節リウマチなどの炎症性疾患が原因となる二次性に分けられる。

2 変形性膝関節症の関節所見と進行度

変形性膝関節症では膝関節の軟骨が摩耗し，関節の狭小化がみられるとともに軟骨下骨があらわになり，骨棘（とげのような突起）ができたり，骨自体が硬化および変形したりする。また，関節を覆っている関節包の内側に炎症が起こることで関節液が過剰分泌され，いわゆる「膝に水がたまった」状態（関節水腫）になることがある。

図1　変形性膝関節症の進行状態

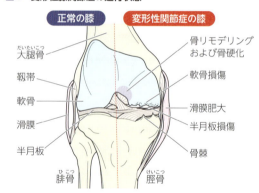

関節軟骨の摩耗による関節の狭小化や滑膜肥大，骨棘の出現など変形性膝関節特有の所見がみられる。

図2　変形性膝関節症患者のX線画像と手術後の画像

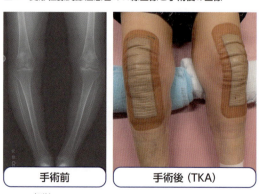

両膝に内反変形がみられるが，手術後は改善した。

3 変形性膝関節症の治療方法

　発症初期は理学療法を中心とした保存療法と疼痛コントロールのための薬物療法を行う。発症中期から末期にかけて病気が進行すると手術による観血療法が行われる。変形性膝関節症に対する手術には関節鏡下手術，高位脛骨骨切り術（HTO），人工膝関節置換術（TKA）などがあり，膝関節の状態によって手術法が選択される。

図3　高位脛骨骨切り術（HTO）と人工膝関節全置換術（TKA）X線画像

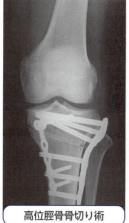
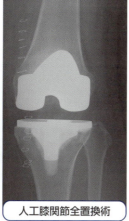

高位脛骨骨切り術　　人工膝関節全置換術

4 変形性膝関節症の理学療法

　発症初期の保存療法では理学療法の実施が効果的であり，関節可動域運動（ROM ex.）や筋力増強運動などの運動療法を中心に行う（図4）。また，膝装具や足底板などの装具療法なども行われる（図5）。

　手術などの観血療法後の理学療法においてもROM ex.や筋力増強運動などの運動療法の実施は重要であるが，加えて，下肢の機能回復に合わせた歩行練習や自宅退院を視野に入れた日常生活動作（ADL）練習を行う必要がある。

COLUMN

　変形性膝関節症に対する理学療法には治療の指針となる「ガイドライン（第2版）」が日本理学療法学会連合から出版されている。ガイドラインでは変形性膝関節症に対する理学療法は保存療法，観血療法いずれの場合にも実施することを提案するとされており，適切な手法（運動負荷・頻度など）で行うことが有効かつ効果的であるとされている。

図4　変形性膝関節症の理学療法

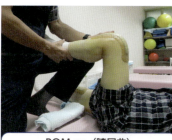

ROM ex.（膝屈曲）　　ROM ex.（自主トレ）

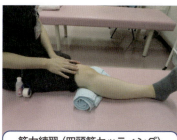

筋力練習（四頭筋セッティング）　　ADL練習（浴槽またぎ）

図5　変形性膝関節症に適応する装具と足底版

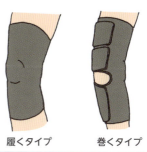

履くタイプ　　巻くタイプ

サポーター型膝装具
（履くタイプ・巻くタイプ）

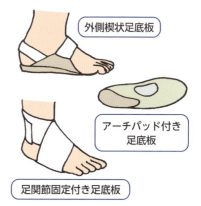

外側楔状足底板

アーチパッド付き足底板

足関節固定付き足底板

5章 理学療法の対象の理解Ⅰ

整形疾患Ⅱ：スポーツ外傷・膝の靱帯損傷

POINT

- 膝の靱帯❶はスポーツ活動中のジャンプ着地や切り返し，他者との接触で断裂❷することがある。
- 前十字靱帯（ACL）損傷患者の多くはスポーツ復帰を目指して再建術❸を受けている。
- 再建術後は，リハビリテーション，パフォーマンス向上，再受傷予防のために理学療法❹が行われる。
- スポーツ現場では初回受傷および再受傷の予防に向けたコンディショニングや，受傷後の急性期対応❺に関する知識が求められる。

1 膝の靱帯

膝には前十字靱帯（ACL），後十字靱帯（PCL），内側側副靱帯（MCL），外側側副靱帯（LCL）がある（図1）。

ACLは大腿骨に対する脛骨の前方移動を制し，PCLは後方移動を制している。

MCLは外反（脛骨が外側に振れる動き）を制し，LCLは内反（内側に振れる動き）を制している。

図1　膝の主な靱帯

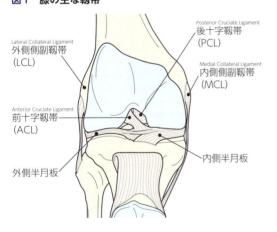

2 靱帯断裂

膝靱帯の断裂は徒手検査やMRI（図2）で確認される。

ACLが断裂すると関節が不安定になり走行，ジャンプ着地，切り返しなどが困難になる。

図2　ACL損傷のMRI

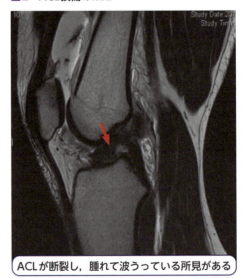

ACLが断裂し，腫れて波うっている所見がある

3 ACL再建術

断裂したACLの治癒は見込めないため，自身のハムストリングや膝蓋腱を移植する**再建術**（図3）が選択される。

術後はスポーツ復帰までに6カ月から1年を要する。

図3 前十字靱帯再建術（イメージ）

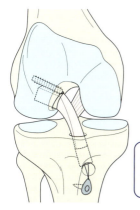

大腿骨と脛骨に孔を空けて自身の腱を通して固定する手術

4 理学療法

スポーツ復帰に向けて自己管理指導，**運動療法**（図4），徒手療法，物理療法，補装具療法が行われる。

パフォーマンス不足や再受傷の要因となる可動域制限，筋力低下，協調性不良，姿勢・動作不良を改善させる。

図4 ACL再建術後の運動療法

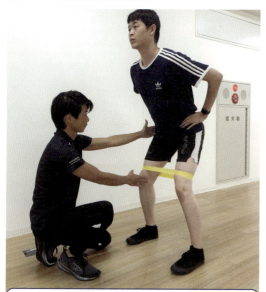

バンドによる負荷を用いて股関節や膝の筋力を高めながら，正しい姿勢を学習している

5 急性期対応

受傷直後は患部の損傷や炎症を最小限に留める対応が求められる。

患部の保護（Protection），安静（Rest），寒冷（Ice），圧迫（Compression），挙上（Elevation）が行われる（図5）。

図5 患部の急性期処置

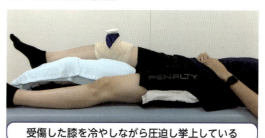

受傷した膝を冷やしながら圧迫し挙上している

COLUMN

理学療法でACL損傷を予防できる？

最近の質の高い研究[1-3]では，プライオメトリック・エクササイズ（素早いジャンプ着地や方向転換など）を含めた包括的なプログラムによって非接触型受傷の発生率が減少することが報告されており，プログラムの内容はガイドラインなどでも紹介されている。

1) Al Attar WSA, et al.: J Physiother 68(4): 255-261, 2022.
2) Petushek EJ, et al.: Am J Sports Med 47(7): 1744-1753, 2019.
3) Webster KE, et al.: J Orthop Res 36(10): 2696-2708, 2018.

アクティブラーニングのヒント
- ACL損傷が発生しやすいスポーツ種目について調べて発表してみよう。
- ACL損傷発生のシーンや要因について調べて発表してみよう。

6章 理学療法の対象の理解Ⅱ

小児疾患

POINT

- 出生直後から脳などに病変があり、定型的な発達が難しいため、子どものときからリハビリテーションが必要である。

- 代表的な疾患として 脳性麻痺 ，二分脊椎 ，ダウン症候群 ，筋ジストロフィー ，発達障害 などが挙げられる❶。

- 早産で低出生体重の状態で生まれたり、出生直後から生命の危険がある場合、新生児特定集中治療室（NICU）からの医療的な支援が必要である。

- 運動麻痺以外にも知的障害を伴う疾患も多く、発達の阻害になるため、適切な時期に子どもの発達を促す ことが大切である❷〜❾。

- 子どもの発達に関連するため、病院のスタッフ以外にも学校の先生、地域の保健・福祉、心理士など複数の関連職種と一緒に子ども発達を支援していく 療育 が重要となる❿。

- 子どもの移動の支援や姿勢保持の支援（❷〜❾）以外にも、障害が重度であれば呼吸の支援など、生命維持や発達に必要なリハビリテーションを行っていく。

- 姿勢保持や動作が困難な場合には、動作を補助する道具や生活環境の支援を行うことで、学校や家での生活が拡充する可能性がある。

❶ どんな病気？

脳性麻痺児：姿勢と運動の障害が顕著である

❷ 寝返り練習

生後6カ月で寝返りが可能となり、初めての移動方法でもある

❸ 体を起こす練習

生後6カ月で重力に抗して、両手をついて体を起こすことができる

アクティブラーニングのヒント
- 発達期にリハビリテーションが必要な病気を調べてみよう。
- 発達障害について調べ、発表してみよう。

4 四つ這い位練習

生後8カ月で四つ這いとなり，ハイハイが可能となる

5 床座位練習

生後6カ月以降に床座位が可能となり，いろんな遊びが可能となる

6 床からの立ち上がり練習

床から立つ場合は四つ這い（高這い）から立つか，両膝立ち位から立つ場合がある

7 端座位保持練習

骨盤を安定させて座位保持を練習する

8 立位保持練習

生後12カ月程度で立位保持可能となる。安定した立位を援助する

9 歩行練習

生後12カ月以降歩行可能となる。最初は足を大きく開き，手を挙げて歩く。バランスを援助して歩く

10 発達に応じた支援

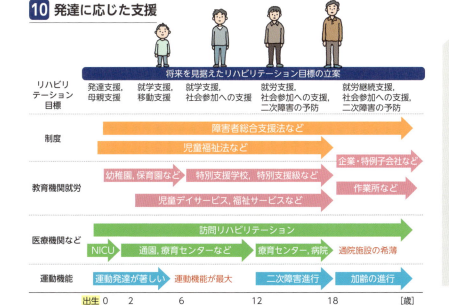

COLUMN

子ども活動を支援する

子どもの発達のためには，「遊び」が重要である。子どもの活動を広げるように，子どもの発達に適する遊びを取り入れ，子どもが活動できる範囲を広げていく。それは運動以外にも社会的な認知を広げていくことにもつながる。

内科的疾患Ⅰ：呼吸器疾患と循環器疾患

POINT

- 呼吸器疾患と循環器疾患を発症すると，外見からわかりにくい**内部障害**❶を呈する。
- 内部障害は特に高齢者で年々増えており，呼吸器疾患であれば肺の障害，循環器疾患であれば心臓の障害であり，最も多い症状は息切れ（**呼吸困難感**）である。
- 運動中の息切れによって全身の持久力，いわゆる**運動耐容能**が低下すると，日常の活動量が低下しQOLも低下する。
- 呼吸器疾患のなかで多いのは**慢性閉塞性肺疾患（COPD）**❷である。
- **呼吸器疾患の理学療法**❸では，呼吸機能評価や運動耐容能，筋力評価を行う。運動中に酸素が不足する場合は，酸素を投与しながら筋力増強運動などの運動療法を行うことで，低下した肺機能を補助し息切れが改善する。
- 循環器疾患の理学療法は歴史が浅く，最初は**心筋梗塞と狭心症**❹に対して行われた。発症急性期から歩行練習を行い，運動療法を行っていく❺。

❶ 内部障害をイメージする

酸素を肺で取り込み，肺の血管から心臓を経て運動する筋肉に酸素を送り込む。心臓，肺，筋肉のいずれに障害が起きても酸素の取り込みが障害され息切れを生じることになる（図1）。理学療法で改善できるのは筋肉であり，障害された肺あるいは心臓をサポートできるようになることで，症状の改善や活動量の増加を図ることができる。

図1　ワッサーマンの歯車

酸素を口から肺へ取り込み，心臓が運動する筋肉に酸素を運ぶ（右から左への歯車）。運動により筋肉で酸素を消費し二酸化炭素を産生する。産生された二酸化炭素は心臓を介して肺に届き口から吐き出す（左から右の歯車）。
各歯車が障害されると酸素の取り込みが不十分となり息切れや筋疲労が生じやすくなり活動が低下する。

❷ 慢性閉塞性肺疾患（COPD，図2）

肺気腫とも呼ばれ，主に喫煙による生活習慣で起きる呼吸器疾患である。初期は咳，痰の症状が認められる程度だが，徐々に歩行や日常生活活動で息切れを感じるようになる。進行すると安静にしていても息切れを生じる。COPDの治療として，禁煙を中心とした生活習慣の改善や薬物療法，呼吸理学療法（運動療法），酸素療法を行う。

図2　COPDの胸部X線像

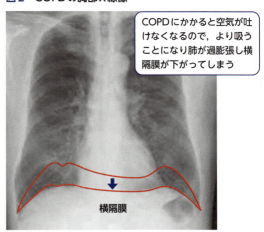

COPDにかかると空気が吐けなくなるので，より吸うことになり肺が過膨張し横隔膜が下がってしまう

3 呼吸器疾患の理学療法

呼吸機能評価（図3）や運動耐容能・筋力の評価を行う。運動中に酸素が不足する場合は、酸素を投与しながら筋力増強運動などの運動療法を行うことで、低下した肺機能を補助し息切れが改善する（図4）。

図3　呼吸機能評価

肺活量（吸う量），一秒率（吐ける機能）を測定する

図4　筋力増強運動（酸素投与中）

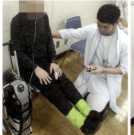

運動時に酸素の濃度が下がること（運動時の低酸素血症）があるのでモニタリングする。酸素を吸いながら行うことも多く、自宅に帰っても酸素を吸いながら生活をすることもある（在宅酸素療法）。筋力増強運動を行うときには呼吸に合わせて行うように指導し、息切れが出現しないようにする

4 循環器疾患（心筋梗塞，狭心症）

高血圧、脂質異常症、糖尿病、肥満、喫煙などの生活習慣病を背景とした動脈硬化が、心臓の筋肉に酸素を送り込む冠動脈に生じることで心筋梗塞または狭心症を引き起こす。血管を広げる治療をすることで回復するが、その後、離床や再発予防を目的とした理学療法が行われる。

5 循環器疾患の理学療法

狭心症、心筋梗塞後の治療後は、1日ごとに離床段階（端座位、立位、歩行）を達成させる理学療法プログラムを、心電図や血圧などのバイタルサインを評価しながら安全に進めていく（図5・6）。歩行が自立した後は、運動療法による運動耐容能の改善と患者の生活習慣是正によって再発予防を達成することが目標となる（図7）。

図5　理学療法前の情報収集

理学療法介入前に各種検査結果（血液検査、X線像、温度板など）や多職種からの情報を確認し、クリニカルリーズニングを行った結果、循環器リスクが問題なければ理学療法介入を行う。理学療法評価は数値で判定できるような客観的な指標を用いるとよい。心臓や血管に対して使用している薬剤によって理学療法の介入や進行の可否が決まるので、薬の名前や効用は覚えなければならない

図6　バイタルサイン測定

離床を進める前にバイタルサインを測定し問題なければ体を動かす。離床後は医師や看護師に報告し患者の活動範囲を広げていく

図7　自転車エルゴメータを使用した有酸素運動

歩行が自立したら再発予防のために運動療法を行っていく。会話しながら行える有酸素運動が、心臓にとって安全かつ効果的に行える運動である

アクティブラーニングのヒント

- 呼吸器疾患（COPD）によって息切れが生じる機序を調べてみよう。
- 心筋梗塞と狭心症の病態や治療後の理学療法の違いを調べてみよう。

COLUMN

COPD、心筋梗塞、狭心症はいずれも運動療法が有効であるという点、再度病気が悪化しないように運動療法だけでなく正しい生活習慣を身につけるように指導するという点でアプローチは似通っていることがわかる。多職種の連携が重要である。

内科的疾患Ⅱ：糖尿病

POINT

- 糖尿病❶は**インスリン**と呼ばれる血糖を下げるホルモンの異常により常に血糖が高い状況である。
- 原因は遺伝的要因（**1型糖尿病**），生活習慣によるもの（**2型糖尿病**）がある。
- 糖尿病のみで理学療法の対象とはならないが，さまざまな疾患に合併することが多い❷。
- 糖尿病に対しては血糖値のみを評価するのではなく，合併症の影響を評価するとともに，理学療法士が行う以外の検査所見を把握する必要がある。
- 足の壊疽を起こさないように**フットケア**❸を行うことも重要である。

1 糖尿病

糖尿病1は**インスリン**と呼ばれる血糖を下げるホルモンの異常により，常に血糖が高い状況である。その原因は遺伝的要因（**1型糖尿病**），生活習慣によるもの（**2型糖尿病**）がある。

糖尿病のみで理学療法の対象とはならないが，さまざまな疾患に合併することが多い。特に2型糖尿病の合併が多く，薬物治療だけでなく食生活，運動不足などの生活習慣を改めることが治療となる。

糖尿病が治療されずに長い期間経過すると血管が傷ついて，さまざまな合併症を起こす（図1）。

図1 糖尿病の合併症

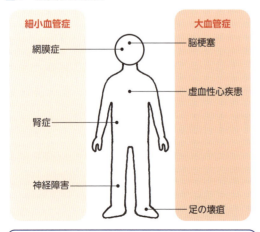

理学療法士ができる検査と多職種による検査所見を合わせて評価する

2 糖尿病の合併症

糖尿病に対しては血糖値のみを評価するのではなく，合併症の影響を評価する。

三大合併症と呼ばれる**神経障害**，**網膜症**，**腎症**の細小血管症が有名である。➡しんけい，め，じんぞうの頭文字をとって「し・め・じ」と覚える。神経障害：感覚検査，網膜症：眼底検査，腎症：腎臓機能および運動耐容能の評価を行う。理学療法士が行う以外の検査所見を把握する必要がある。

動脈硬化によって引き起こされる大血管症と呼ばれる末梢動脈疾患（足の壊疽），脳梗塞，虚血性心疾患（心筋梗塞，狭心症）の発症リスクも高くなる。➡えそ，のうこうそく，きょけつせいしんしっかんの頭文字をとって「え・の・き」と覚える。

糖尿病は血糖を下げるための運動だけでなく，多職種で全身を評価し管理することが重要な疾患である（図2〜5）。

COLUMN

糖尿病が原因で生じた合併症をさらに悪化させないために多職種と協力して理学療法を行うことが必要となる。

図2 血糖値を含むバイタルサインの測定

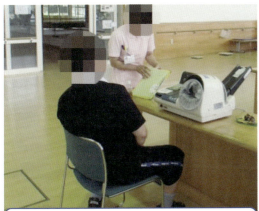

運動前のバイタルサイン（血圧など）を測定する。必要に応じて血糖値は看護師に測定してもらう

図3 運動療法

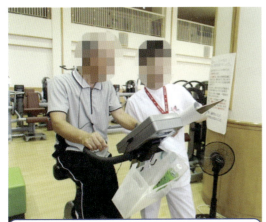

血糖を効率よく消費するために有酸素運動を中心に行っていく

図4 食事療法と薬物療法

栄養士による食事制限の指導，薬剤師による薬物治療の指導も重要となる。

図5 セルフモニタリング

血糖値を含むバイタルサインを自分で記録することは生活習慣を正すために非常に重要である

3 フットケア

　足の趾，爪，踵のケアをし，血流や神経障害，足部の変形を評価する。爪切りなどの処置にとどまらず，ストレッチによる血流の改善や履物の調整による環境調整などを行っていく（図6）。

図6 フットケア

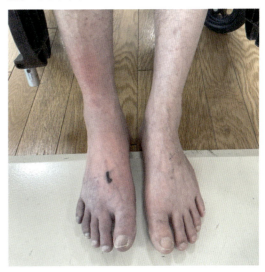

アクティブラーニングのヒント

- 糖尿病の合併症と生じる原因を調べてみよう。
- 糖尿病に対して理学療法士が行うべき評価項目を挙げてみよう。

その他の疾患：がんなど緩和ケア

POINT

- ✓ がん（腫瘍）は3大疾病のひとつで，腫瘍の存在する部位により，さまざまな症状が出現する❶。
- ✓ 腫瘍の部位や進行の程度により，治療方法も多様である。主な治療は「手術」「化学療法（抗がん剤治療）」「放射線療法」である。
- ✓ 治療後の後遺症についても多様であるため，理学療法の進め方❷は，個々人により異なり，適切な診断に基づく介入が必要である。
- ✓ 患者を中心とした治療方針❸を決定する。そのためのアドバンス・ケア・プランニング（ACP）が重要になるほか，積極的な治療を進めないケースでは，緩和ケアを主体とした「症状の緩和」や「在宅生活の支援」などを行う。

1 がんの症状

がんは，心疾患，脳血管疾患と並ぶ3大疾病である。
がん（腫瘍）の存在する部位により，さまざまな症状が出現する。例えば，腫瘍が脳に存在すれば脳卒中と同様の症状，肺に存在すれば呼吸器疾患と同様の症状になる。

理学療法の対象となる主な腫瘍の分類
- 肺がん
- 消化器がん
- 前立腺がん
- 頭頸部がん
- 乳がん・婦人科がん
- 骨軟部腫瘍
- 脳腫瘍
- 血液腫瘍・造血幹細胞移植

2 がんの治療と理学療法

腫瘍の部位や進行の程度により，治療方法も多様である。主な治療は「手術」「化学療法（抗がん剤治療）」「放射線療法」である。その後の後遺症についても多様であるため，理学療法の進め方は，個々人により異なる（図1）。
後遺症のなかでも，特に注意したいのは骨転移である。骨は，がんの好発部位であり，病的骨折や神経圧迫に伴う麻痺が生じることがある。これに対して，安易に理学療法を中止することは廃用症候群を進行させることになるため，適切な診断に基づく介入が有効である。

3 がんの治療方針

患者を中心とした家族，医師，看護師，薬剤師などとともに，多くの職種で複数回にわたり相談・検討し治療方針を決定する。特に患者が将来どのような生活をしたいのかなど，本人の意思決定を支援するプロセス，いわゆるアドバンス・ケア・プランニング（ACP）が重要になる。
ACPとは，将来の変化に備え，将来の医療・ケアについて，本人を主体に，その家族等および医療・ケアチームが繰り返し話し合いを行い，本人の意思決定を支援するプロセスのことである[1]。
積極的な治療を進めないケースでは，緩和ケアを主体とした「症状の緩和」や「在宅生活の支援」などを行う。

1) 日本医師会 生命倫理懇談会：人生の最終段階における医療・ケアに関するガイドライン，2020．

アクティブラーニングのヒント
- ▶ がんの症状を調べてまとめ，発表してみよう。
- ▶ がんのリハビリテーション・ガイドラインを読んでみよう。

図1 多様な理学療法

a. トレッドミル
持久力を改善するために行う

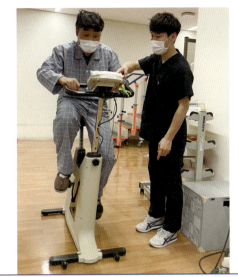

b. エルゴメータ
持久力を改善するために行う

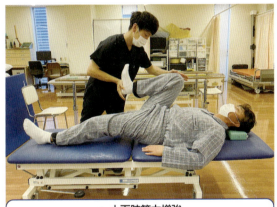

c. 上下肢筋力増強
筋力を維持・増強するために行う

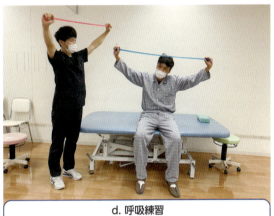

d. 呼吸練習
呼吸機能を改善するために行う

e. 基本動作練習
生活に必要な動作を練習する

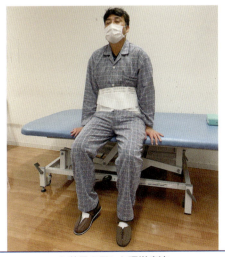

f. 装具を用いた理学療法
椎体圧迫骨折などに対して使用される体幹装具

6章 理学療法の対象の理解Ⅱ

健康増進：フィットネス，介護予防

POINT

- ✓ 国民の健康づくり・疾病予防を積極的に推進するために健康増進法❶が定められている。
- ✓ 健康増進分野において理学療法士は生活習慣病❷の予防や，健康寿命❸の延伸に向けて労働者や地域住民など幅広い人々に指導・支援を行う。
- ✓ 介護予防事業は介護保険法の介護予防・日常生活支援総合事業（総合事業）に位置づけられている。
- ✓ 地域リハビリテーション活動支援事業❹において，理学療法士は通いの場❺に関与したり，介護職に助言したりする。

1 健康増進法

その第二条において「国民は，健康な生活習慣の重要性に対する関心と理解を深め，生涯にわたって，自らの健康状態を自覚するとともに，健康の増進に努めなければならない」とされている。

●アクティブガイド

運動習慣を身につけることや身体活動量を増やすことは生活習慣病を予防するために効果がある。厚生労働省は「健康づくりのための身体活動基準2013」[1]を定め「健康づくりのための身体活動指針（アクティブガイド）」[2]を示している（図1）。

1) 厚生労働省：健康づくりのための身体活動基準2013（概要版）．(https://www.mhlw.go.jp/stf/houdou/2r9852000002xple-att/2r9852000002xppb.pdf) 2023年11月閲覧
2) 厚生労働省：健康づくりのための身体活動指針（アクティブガイド）．(https://www.mhlw.go.jp/stf/houdou/2r9852000002xple-att/2r9852000002xpr1.pdf) 2023年11月閲覧

2 生活習慣病

厚生労働省 生活習慣病予防のための健康情報サイト[3]では「生活習慣病とは，食事や運動，休養，喫煙，飲酒などの生活習慣が深く関与し，それらが発症の要因となる疾患の総称です。日本人の死因の上位を占める，がんや心臓病，脳卒中は，生活習慣病に含まれます」として，その範囲を表1のように示している。

3) 厚生労働省：e-ヘルスケアネット 生活習慣病とは？(https://www.e-healthnet.mhlw.go.jp/information/metabolic/m-05-001.html) 2023年11月閲覧

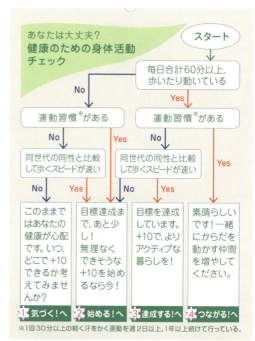

図1 アクティブガイドのリーフレットの一部

文献2)より転載

表1 生活習慣病の範囲

食習慣	インスリン非依存糖尿病，肥満，脂質異常症（家族性のものを除く），高尿酸血症，循環器病（先天性のものを除く），大腸がん（家族性のものを除く），歯周病など
運動習慣	インスリン非依存糖尿病，肥満，脂質異常症（家族性のものを除く），高血圧症など
喫煙	肺扁平上皮がん，循環器病（先天性のものを除く），慢性気管支炎，肺気腫，歯周病など
飲酒	アルコール性肝疾患など

文献3)より引用

● 健康増進施設認定制度[4]

運動指導者を配置し，機器・設備を整えた施設であれば健康増進施設認定制度により健康づくりに適した施設として認定される。認定基準は運動型，温泉利用型，温泉利用プログラム型の3種類がある。

4) 厚生労働省：健康増進施設認定制度．(https://www.mhlw.go.jp/stf/seisakunitsuite/bunya/kenkou_iryou/kenkou/seikatsu/index_00002.html) 2023年11月閲覧

アクティブラーニングのヒント
▶運動に関心がない人に運動をしてもらうにはどうしたらいいだろうか。人の気持ちや行動に働きかける方法を行動変容理論という。行動変容理論について調べてみよう。

3 健康寿命

平均寿命に対して健康上の問題で日常生活に制限のない期間を健康寿命という。健康に元気で暮らせる期間を延ばすことは健康づくりにおいても介護予防においても重要な目標である。平均寿命と健康寿命の差を介護が必要な期間と考えるとその期間は男性でおよそ10年，女性では10年を超える期間になっている[5]（図2）。

5) 厚生労働省：健康寿命の令和元年値について．(https://www.mhlw.go.jp/content/10904750/000872952.pdf) 2023年11月閲覧

図2　健康寿命と平均寿命の推移

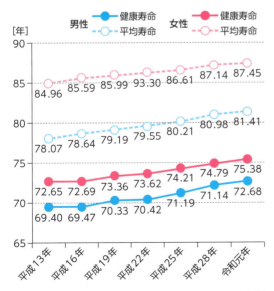

【資料】平均寿命：平成13・16・19・25・28・令和元年は，厚生労働省「簡易生命表」，平成22年は「完全生命表」

文献5) をもとに作成

4 地域リハビリテーション活動支援事業[6]

介護予防を推進するためにリハビリテーション専門職を活用することを支援する事業。病院に勤務している理学療法士が病院の外に出て仕事をすることは難しいが，こうした事業を背景に，市町村からの依頼を受けて，地域で活動する理学療法士が増えている。

6) 厚生労働省：地域リハビリテーションの重要性とその活用について．(https://www.mhlw.go.jp/file/06-Seisakujouhou-12600000-Seisakutoukatsukan/0000151679.pdf) 2023年11月閲覧

5 「通いの場」

厚生労働省は通いの場について"地域の住民同士が気軽に集い，一緒に活動内容を企画し，ふれあいを通して「生きがいづくり」「仲間づくり」の輪を広げる場所です。地域の介護予防の拠点となる場所でもあります"と説明している[7]。通いの場は住民の自主グループ活動として運営され，近所の公民館とか集会所などで週1回程度，メンバーが集まって体操などを楽しむグループが多い。理学療法士には，こうした場に関与し，安全で効果的な体操を指導したり，自主グループ活動について助言したりすることも期待されている。

7) 厚生労働省：地域がいきいき 集まろう通いの場．(https://kayoinoba.mhlw.go.jp/) 2023年11月閲覧

● フレイル予防と通いの場

フレイル (frail) とは虚弱を意味する英語である。介護予防分野では要介護に陥る手前の状態を指す。フレイルは，介入がうまくいけば元気な状態に戻れる状態と考えられている。介入のポイントは単に運動機能を向上させるだけでなく活動や参加の機会を増やすことである。通いの場にまで出かけて行き，仲間と体操して，おしゃべりを楽しむことは，フレイル予防に大きな効果がある。

アクティブラーニングのヒント
▶通いの場は地域によってさまざまであり，多くの市町村ではその概要をホームページで公開している。自分の町の「通いの場」について調べてみよう。

6章 理学療法の対象の理解Ⅱ

リラクゼーション，痛みの治療（除痛・疼痛緩和）

POINT

- 患者がよく訴える症状として筋腱，関節，神経の痛みがある。
- 筋の過度な緊張やその持続は痛みの誘因となる。
- リラクゼーション[1]は筋の過緊張や痛みの軽減を目的に用いられる。
- マッサージ[2]などの徒手療法や，電気などを利用した物理療法[3]によって痛みが緩和される。
- 痛みの治療では心理的要因[4]も考慮する。

1 リラクゼーション

筋収縮や神経反射を応用して筋をリラクゼーションさせる。

テクニックのひとつにホールドリラックスがある（図1）。

図1　神経反射を利用したホールドリラックス

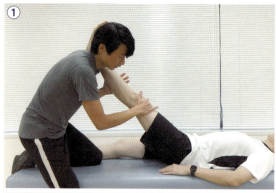
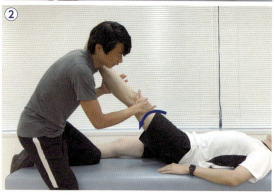
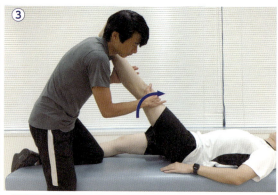

①ハムストリングに伸張感を訴えるまで，膝を伸ばしたまま脚を挙げる（股関節を曲げる）

②脚を挙げた状態で固定し，足を下げる（股関節を伸展する）ように大腿後面や殿部に5秒間力を入れてもらう

③力を抜いてもらい，脚をさらに挙げる（股関節を曲げる）。神経反射によりハムストリングの伸張感が低下し脚を挙げやすくなる

COLUMN　relaxation：リラクセーションとリラクゼーション

正しくはリラクセーションだが，日本ではリラクゼーションと表現されることも多く，両者が使われている。『リハビリテーション医学・医療用語集 第8版』(2019)ではリラクゼーションとしている。

2 マッサージ，徒手療法

手掌や手指などで体表から圧迫や摩擦を与えて筋や腱をもみほぐす技術である。

筋を圧迫したまま横断する力を与えるテクニックとしてフリクションマッサージがある（図2）。

図2　フリクションマッサージ

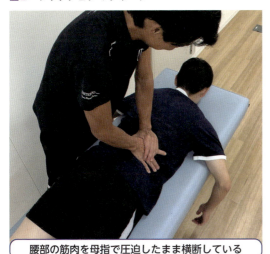

腰部の筋肉を母指で圧迫したまま横断している

3 物理療法

電気，温熱，水，光線，音波などの物理的な刺激を利用した治療法である（図3）。

国内外でさまざまな機器が使用されており，効果，安全性，利用者ニーズなどに応じて選択される。

図3　電気を用いた物理療法

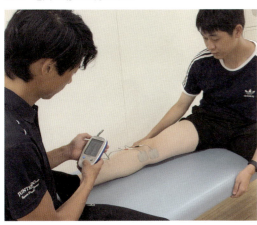

4 コミュニケーション，患者教育

痛みの域値（感じやすさ）や程度には心理的な状態が関係しやすい。

希望や症状の訴えを傾聴し受容する言動を基本とし，疾患や理学療法への理解を促すよう心掛ける（図4）。

図4　希望や症状の受容

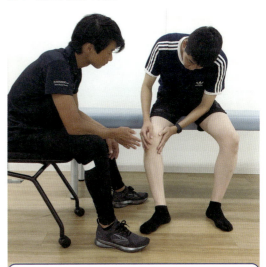

患者が膝の症状を訴えており，それについて共感し受容している

COLUMN
リラクゼーションやマッサージの効果は？

最近の質の高い研究[1, 2]では，身体のリラクゼーションやマッサージによって痛みや精神的ストレスが軽減することが報告されている。また，さまざまな肢位で姿勢を正し，腹式呼吸をしながら筋の弛緩やストレッチングをすることも心身のリラクゼーションにつながると言われている[3]。

1) Smith CA, et al.: Cochrane Database Syst Rev 3(3): CD009290, 2018.
2) Zhang M, et al.: J Occup Health 63(1): e12243, 2021.
3) Zhang M, et al.: J Occup Health 63(1): e12243, 2021.

アクティブラーニングのヒント
- 痛みの受容器の特徴について調べて発表してみよう。
- 相反抑制や自己抑制などによるリラクゼーションのメカニズムについて調べて発表してみよう。

理学療法の実際の流れ・思考

POINT

- ✓ 理学療法の診療は**基本的な流れ**[1]があり，最終的に対象者のニーズに応えることを目的に実施される。

- ✓ 理学療法の中の思考は**臨床推論**[2]と言われ，**統合と解釈**のなかで仮説を立て，治療介入方針や方法に関して根拠に基づいて意思決定を行うことが特に重要である。

- ✓ **理学療法記録**[3]は法的にも必要とされ，開示義務も生じる。したがって，他者にもわかりやすく，正確に記載することが大切である。

1 理学療法の流れ

理学療法は一般的に**図1**のような流れで進められる。

処方箋：医師の指示の下で理学療法が実施されるため，処方箋を受け取る。

評価：問診，情報収集，検査・測定もすべて含めて実施し，それらを統合と解釈し，ガイドラインなども参考にして意思決定および判断する。

治療：その患者への適用を十分に考慮し，より個別性を重視した内容が望ましい。

図1 理学療法の流れ

評価（統合と解釈）

2 臨床推論（臨床思考の過程）

臨床では仮説を立て，意思決定し，介入を行うが，そのなかでデータ収集や知識，メタ認知（自分が認知していることを客観的に把握すること）が重要である。これを**臨床推論**という（**表1**）。

表1 臨床推論の構成要素

- ・臨床的スキル
- ・患者中心のEBM
- ・検査適応の解釈
- ・メタ認知
- ・個別性
- ・意思決定の共有
- ・人間観・理学療法観

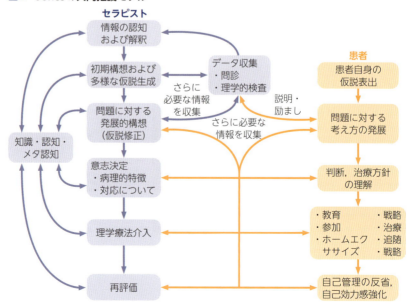

図2 Jonesの共同推論モデル

Jonesの共同推論モデル[1]（図2）では患者とセラピストで思考過程を分けている。患者も受動的ではなく，自分の仮説表出や介入の理解，そして自己管理へとつなげることが大切である。このように理学療法はセラピスト，患者の協働によって成立する。

臨床のなかでは仮説，検証を繰り返して治療介入や評価を実施する（図3）。このことで実践能力が向上するとともに臨床疑問もでてきて，研究やエビデンス構築へつながることもある。

1) Jones M, et al.: Clinical reasoning in physiotherapy. Clinical reasoning in the health profession, 2nd ed, p117-127, Butterworth-Heinemann, 2000.

図3 理学療法の思考過程

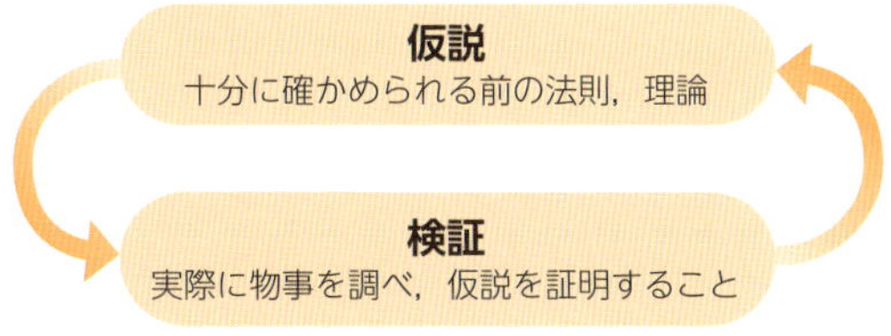

```
仮説
十分に確かめられる前の法則，理論
    ↓↑
検証
実際に物事を調べ，仮説を証明すること
```

3 診療記録

診療記録には表2で示しているような役割があり，特に診療記録の開示に対応して専門職以外でもわかる表現で記載する必要がある。また，診療記録の活用としては表3で示しているように，多職種間での情報の共有として用いられることが重要である。

表2 診療記録の役割

- 理学療法実践の過程を記録する
- 対象者，家族の主観的な情報を記録する
- 評価や客観的な情報を記載する
- 対象者の変化，介入の結果やアセスメントなどを記載する
- 他者が見てもわかる表現で記録する

表3 診療記録の活用

- 医師への報告書の資料
- ケース会議資料の作成
- チームアプローチの情報共有の資料
- 他施設への報告書の資料
- 臨床研究のデータ
- 理学療法士個人の思考の整理

● 法的根拠

理学療法は医師の指示により行われる診療行為である。理学療法士及び作業療法士法には診療記録に関する規定はないが，医師法施行規則第2条の「診療録の記載事項」に，診療を受けた者の住所，氏名，性別および年齢，病名および主要症状，治療方法（処方および処置），診療の年月日，の記載が定められている。

また医師法第24条「診療録」には，診療記録に関するものは5年間保存することが定められている。理学療法士は医師の診療の補助者であることから，理学療法診療記録も医師法施行規則および医師法に準ずることが望ましい[2]。

2) 伊藤恭子：診療記録の基本．PTジャーナル 40（4）：301-308, 2006.

● 記載方法

一般的に用いられている記載方法としては問題志向型システム（POS）がある。これは医療を効率的に行うために，患者の抱える問題点を正しく把握し，患者志向でその解決に最も適した対応を目指し努力する一貫したシステムと言われている。

POSのなかでもSOAP（表4）が多く用いられ，これは各問題点ごとに主観的情報，客観的情報，評価（統合・解釈・考察），治療計画を記載するものである。

表4 SOAPの概略

Subjective（主観的な情報）	理学療法実施時に患者さんが話した言葉
Object（客観的な情報）	理学療法士が観察したこと，実際行ったこと
Assessment（評価：統合・解釈・考察）	理学療法前後の変化，それに対する考察
Plan（計画）	理学療法計画の今後の予定

COLUMN

思考のなかには形式知と臨床知があり，前者は主に知識を指し，後者は言葉で説明できない技術のことである。どちらも理学療法を行うために必要であり，バランスよく使い分けることが大切である。

アクティブラーニングのヒント

▶ 日常生活のなかで自分で仮説を立て，検証した経験を話してみよう（例：インターネットがつながらない）。
▶ 複数のメンバーで，自分が書いた文書や話がどのように他者に伝わっているか，聞いてみよう。

7章 理学療法の実際

エビデンス・EBM/EBPT

POINT

- 医療における**エビデンス**とは治療に対する科学的根拠という意味で使われることが多く、一般には治療法に対して臨床試験や研究が行われ、その結果がエビデンスとなる。**科学的根拠に基づく医療（EBM）**（Evidence-Based Medicine）❶ の本来の目的は、**目前の対象者に最善の医療を提供すること**である。また、EBM実践には4つの要素がある[1]。

- 論文は**エビデンスのレベル**❷ によって階層構造で分類される。このレベルを理解したうえで論文を活用することが望ましい。

- **根拠に基づく理学療法（EBPT）**（Evidence-based Physical Therapy）❸ は基本的な理論、質の高い臨床研究（エビデンス）、理学療法士の経験、施設の設備・環境を統合して最適な臨床判断、意思決定を行うために用いられる手法である。

- ここで重要なことは、エビデンスだけを重要視していないことであり、エビデンスも参照した包括的な臨床判断、意思決定を行うことである。

1) Straus SE, et al. : Evidence-based Medicine: How to Practice and Teach EBM, 4th ed, Churchill Livingstone, 2011.

1 EBMの成り立ち

EBMと聞くとすぐにエビデンスという言葉につながるが、エビデンスの他に環境要因、患者の価値観などの個人的特性、さらには医療者の臨床経験などの4要素からなる（図1）。エビデンスだけが取り上げられることが少なくないので、注意が必要である。

図1 EBMに必須の4要素

2 エビデンスのレベル

あるキーワードでインターネット検索すると数多くの論文が表示されるが、各研究の知見においてもその研究デザインでエビデンスレベル（図2）が階層的に示されている[2]。

一番信頼性が高い研究デザインとして**メタアナリシス、システマティックレビュー**があり、次に**ランダム化比較試験（RCT）**（randomized controlled trial）が続き、**症例報告**は比較的下位に位置する。しかし、臨床的には一症例をしっかり症例検討することも重要である。

2) Guyatt G, et al. : User's Guides to the Medical Literature. McGraw-Hill Professional, 2008.

図2 エビデンスレベル

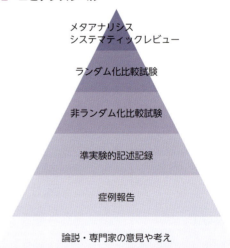

3 エビデンスの活用：EBPTの実践（図3）

EBPTの実践[3]には「エビデンスを作る」「エビデンスを伝える」「エビデンスを使う」という要素がある。臨床でEBPTを実践するためには，これらのうち「エビデンスを使う」ということが主となる。

まずは臨床的な問題，疑問を定式化し，その後に文献などの情報収集を行い，得られた情報を鵜呑みにするのではなく，批判的に吟味し，さらに当該患者へ適用できるかどうか意思決定し，最後に適用結果の検証を行う。このように，日々理学療法の内容を検証することが重要であり，臨床能力の向上につながる。

3) 木村貞治：EBMの実践に向けて．理療科 22 (1)：19-26, 2007.

図3　EBPTの実践（5つのステップ）

① 患者の臨床問題や疑問点の抽出と定式化（PICOの設定）
　（P：患者像・問題，I：介入，C：他の治療と比較，O：結果）

② PICOに基づいた患者の臨床問題や疑問点に関する情報の検索
　ガイドラインを参照，さらなる文献検索

③ 得られた情報の批判的吟味

④ 得られた情報の患者への適用の検討

⑤ 適用結果の評価

4 理学療法ガイドライン

理学療法ガイドラインは2021年に第2版が発行され[4]，これには41の疾患・領域が記載されている。内容の具体例を挙げると，脳卒中理学療法ガイドラインでは「発症48時間以内の脳卒中患者に対して理学療法は有効か」「歩行障害を有する脳卒中片麻痺患者におけるロボットを用いた歩行・動作トレーニングは有効か」という臨床疑問に対して，推奨の強さやエビデンスレベルを提示し，理学療法実施時の指針となっている。

このガイドラインに記載されている他の疾患としては，脊髄損傷，神経難病，肩の障害，膝の障害などの運動器疾患，心血管疾患，呼吸障害，フレイルなどの理学療法に関するガイドラインがある。

この他に，以下の**表1**には医師を中心とするリハビリテーションに関係する各疾患の診療ガイドラインの一覧を示すが，診療ガイドラインを理解したうえで理学療法ガイドラインを活用することも大切である。

4) 一般社団法人 日本理学療法学会連合：理学療法ガイドライン，第2版，医学書院，2021．

表1　リハビリテーションに関する診療ガイドライン一覧

- COPD（慢性閉塞性肺疾患）診断と治療のためのガイドライン2022〔第6版〕
- 脳卒中治療ガイドライン2021
- 慢性疼痛診療ガイドライン
- 関節リウマチ診療ガイドライン2020
- 大腿骨頸部／転子部骨折診療ガイドライン2021
- パーキンソン病診療ガイドライン2018
- 糖尿病診療ガイドライン2019

アクティブラーニングのヒント
▶ 理学療法ガイドライン第2版を検索し，序文1を読んで41の疾患・領域には何があるかをみてみよう。

7章 理学療法の実際

ガイドライン，クリティカルパス

POINT

- ✓ **診療ガイドライン❶**は，主に質の高い臨床研究によるエビデンスを系統的に収集し，そのエビデンスと専門家の知見などを総合して推奨度が決定する。

- ✓ 診療ガイドラインの推奨度決定において考慮する事項として，エビデンスの質，益と害のバランス，資源，患者の価値観などがある。

- ✓ **クリティカルパス❷**（clinical path）は質の高い医療を患者に提供することを目的として，疾患別に検査・手術の予定や経過などをわかりやすく計画表として示したものである。

1 診療ガイドライン

診療ガイドラインとは，医療者と患者が特定の臨床状況で適切な決断が下せるよう支援する目的（表1）で体系的な方法に則って作成された文書である。

医療現場において適切な診断と治療を補助することを目的として，病気の予防・診断・治療・予後予測など，診療の根拠や手順について最新の情報を専門家の手でわかりやすくまとめた指針となる。

ガイドラインの推奨度決定において考慮する事項として，エビデンスの質，益と害のバランス，資源，患者の価値観などがある（図1）。

近年では治療者と患者の共有意思決定（shared dicision making）（SDM）が重要視され，ガイドラインがそのツールとしての役割を担うとされている[1]。

1) 中山健夫 監：PT・OT・STのための診療ガイドライン活用法，医歯薬出版，2017．

表1　ガイドラインの目的

・医療の質の向上　・適正な診療　・医学教育への応用
・医療費の改善　・医療過誤の訴訟の減少

図1　診療ガイドラインの推奨度決定で配慮する項目

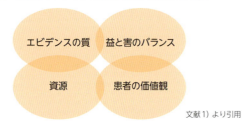

文献1) より引用

● ガイドラインの位置づけ（表2）

EBPTにおいてもガイドラインを参考にすることが推奨されている。しかしガイドラインは60〜95％の患者に適応であり，そのまま使うには不十分な点もあり，治療者の吟味や根拠を持った意思決定が重要となる。

表2　ガイドラインの位置づけ

ある治療法において

スタンダード	アウトカムがきわめて明確で，99％の患者に適応できる
ガイドライン	アウトカムが明確で，60〜95％の患者に適応できる
オプション	アウトカムが必ずしも明確ではなく，50％の患者にしか適応できない

文献1) より引用

2 クリティカルパス

クリティカルパスは，医療の標準化，チーム医療，そして入院期間の短縮を主な目的として導入されている（表3）。一方，標準化されることで個別性という面では配慮が必要である。

表3　クリティカルパスの意義

・チーム医療が可能である
・患者中心で患者参加型の医療が可能
・チーム医療において共通言語ツールになる
・在院日数の短縮が可能である
・教育オリエンテーションツールである
・医療の標準化が可能である

● クリティカルパスの活用

図2に示した例は大腿頸部骨折のクリティカルパスであるが[2]，クリティカルパスは各疾患ごとに作成され，その病院の治療法や特性によっても異なる。最近では病院と地域をつなぐ，連係パスなども活用されている。

2) 森田定雄：大腿骨頸部骨折，総合リハ 30 (11)：1104-1108, 2002.

COLUMN

EBM，クリティカルパスを実践すると理学療法の標準化につながるが，その一方で患者の個別性が損なわれる可能性があることを認識する必要がある。EBMと同時に理学療法の介入のなかでは，患者のnarrative（物語）な側面の配慮も必要である。

図2 大腿頸部骨折のクリティカルパス

	主治医	看護（病棟ケア）	理学療法士	作業療法士
入院から手術前日	□手術の説明 □手術承諾書 □クリティカルパスによる治療方法の説明 □術前検査（血液検査，心電図，胸部X線，呼吸機能） □リハビリテーション処方 □麻酔科依頼	□入院時オリエンテーション □ネームバンド装着 □術前処置 □麻酔科受診	□受傷前の歩行能力調査 □健側下肢筋力強化訓練指導 □呼吸訓練	□受傷前のADL上の問題点評価
手術当日	□術前後全身管理 □術後血液検査 □術後リハビリテーション処方	□禁食 □麻酔前投薬 □術後鎮痛処置 □術後外転マット □両下肢弾性包帯による圧迫（静脈血栓予防） □腓骨神経圧迫のチェック		
術後1日	□全身管理 □点滴 □術後血液検査	□ギャッチアップによる座位 □弾性包帯 □一般食開始 □腓骨神経圧迫のチェック	□足関節の底背屈運動（自動および他動） □大腿四頭筋の等尺性収縮	
術後2日	□全身管理 □吸引ドレーン抜去 □離床時の立会い □点滴 □ガーゼ交換	□離床 □車いす（移乗時術側免荷は不要）	□立位訓練 □関節可動域改善訓練（股関節，膝関節） □筋力強化（大腿四頭筋・股外転・伸展筋）	
術後3～7日	□X線 □リハビリテーション処方（変更点など） □抗菌薬内服処方	□車いす	□平行棒内歩行訓練（荷重は疼痛の許す範囲で） □関節可動域改善訓練（股関節，膝関節） □筋力強化（股関節周囲筋を中心に）	
術後8～14日	□抜糸 □平行棒内歩行 □荷重量などプログラム変更の必要性の検討	□病棟内移動方法の検討（車いす・歩行器） □転倒に注意	□平行棒内または杖歩行訓練（積極的に荷重） □関節可動域改善訓練 □膝屈曲120度以上 □筋力強化	□ADL評価
術後15～19日	□リハビリテーションの進行状況のチェック □X線 □荷重量などプログラム変更の必要性の検討	□病棟内移動方法の検討（歩行器・杖） □転倒に注意	□片松葉（またはT字）杖歩行 □全荷重 □関節可動域改善訓練 □股関節屈曲90度 □膝関節屈曲140度 □筋力強化 □自宅での自主訓練指導 □家屋改造などの相談	□退院に向けADL評価 □家屋改造の相談 □自助具
術後20～21日	□退（転）院に向けリハビリテーション到達度のチェック □退院後の生活指導 □外来通院の予約 □運動療法の面での退院指導 □在宅リハビリテーション，通所リハビリテーション指導	□ADL上の問題点のチェック □家族指導	□在宅での筋力訓練メニュー □在宅リハビリテーション担当者への経過報告書作成	

受傷前に歩行が自立していた患者用。歩行能力が低い場合，目標達成により多くの日数を必要とする。　　　　　　文献2）をもとに作成

アクティブラーニングのヒント

▶ 医療分野以外のガイドラインも調べてみよう。
▶ 日本語，英語の論文を最低10本検索をしてみよう。

7章 理学療法の実際

必要な用語・考え方Ⅰ

POINT

- 障がい（障碍・障害）❶は，世界保健機関(WHO : World Health Organization)が1980年に提示した国際障害分類(ICIDH)❷や，ICIDHを2001年に改訂した国際生活機能分類(ICF)❸で分類することができる。

- 理学療法士は正常と異常を理解し，障がいのある人の日常生活活動(ADL : activities of daily living)❹の改善だけではなく，生活の質(QOL : quality of life)❺の向上を目指す。

- QOLの概念は，1970年代の自立生活(IL : independent living)運動❻で広まり，現在では障がいのある人が障がいのない人と同等に生活し活動できる社会を目指すノーマライゼーション❼の理念を理解する必要がある。

❶ 障がい（障碍・障害）：国際障害分類(ICIDH)と国際生活機能分類(ICF)

理学療法士は，身体に障がいのある人や障がいの発生が予測される人が，自立した日常生活を送れるように支援する医学的リハビリテーションの専門職である。障がいとは，精神や身体の器官が，なんらかの原因で本来の機能を果たすことができないことや状態を呼び，世界保健機関(WHO)が1980年に提示した国際障害分類(International Classification of Impairments, Disabilities and Handicaps : ICIDH)や，2001年に改訂した国際生活機能分類(International Classification of Functioning, Disability and Health : ICF)で分類することができる。

❷ 国際障害分類(ICIDH)

ICIDHは，「障害」というマイナス面を関節が動かしづらい，筋力が低下しているなど体の機能や構造の障がいを表す「機能・形態障害」，立ち上がる，歩くなど基本的動作の制限や障がいを表す「能力障害」，仕事復帰が困難など社会参加制約を表す「社会的不利」の3つのレベルに分類している。当時，障がいの階層性を示した点や，障がいの社会的レベルがWHOに認められたことは画期的であったが，障がいというマイナス面を中心にみていることなどから批判的な意見も多かった。

2 国際障害分類(ICIDHモデル：1980)とその一例

| ICIDHモデル | 疾患・変調
病気やケガなど | → | 機能・形態障害
心や体の動きなど | → | 能力障害
身の回りの動作など | → | 社会的不利
家庭内役割や仕事など |

| 例 | 右足を骨折 | → | 痛み，筋力低下 | → | 歩行が困難 | → | 立ち仕事が困難 |

ICIDHモデルは　上田 敏：国際障害分類初版(ICIDH)から国際生活機能分類(ICF)－改訂の経過・趣旨・内容・特徴－．ノーマライゼーション 22(6): 9-14, 2002. をもとに作成

3 国際生活機能分類（ICF）

　ICFはICIDHに背景因子を加え，生活機能に影響を与える因子を健康状態，生活機能（心身機能・身体構造，活動，参加），背景因子（環境因子，個人因子）の3つに整理している。マイナス面だけでなくプラス面にも焦点を当てており，障がいがあっても「こうすればできる」というように，生活すること・生きることの全体像を捉え，広い視点から総合的に対象者を理解することができる。背景因子に含まれる環境因子は，福祉用具などの物的環境や家族や友人などの人的環境を含み，個人因子は年齢や価値観，ライフスタイルなどを含んでいる。また，ICFでは各項目が影響を与え合う「相互作用モデル」になっていることも，ICIDHと大きく異なる点である。

アクティブラーニングのヒント

▶ ケガをしたときや体調不良になったときのことを思い出し，ICIDHやICFにまとめて発表をしてみよう。

3 国際生活機能分類（ICFモデル：2001）とその一例

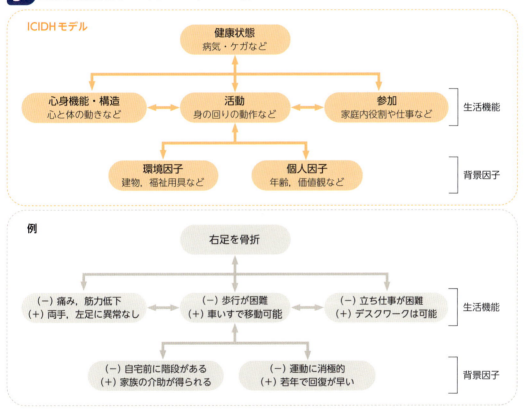

ICFモデルは厚生労働省社会・援護局：「国際生活機能分類－国際障害分類改訂版－」（日本語版）の厚生労働省ホームページ掲載について．
(https://www.mhlw.go.jp/houdou/2002/08/h0805-1.html) をもとに作成

COLUMN

・障害：「障害」の"害"の字は不適切との意見があり，「障碍」や「障がい」と表現されることもある。
・理学療法を計画するうえで，ICFを用い対象者の全体像を把握することが重要である。
・相互作用モデル：生活機能に含まれる「心身機能・構造」「活動」「参加」は相互に影響を与え合うほか，「健康状態」「環境因子」「個人因子」からも影響を受ける。そのためICFのモデル図では，各要素が双方向の矢印で結ばれている。これが「すべてがすべてと影響しあう」相互作用モデルである。矢印の上下や左右という位置や向きに意味はなく，影響の仕方にはマイナスの影響もあればプラスの影響もある。例えば，点字ブロックは目の不自由な人にとってはプラスの効果があっても，歩行困難のある人にはマイナスになることもある。

4 日常生活活動（ADL）

　日常生活活動（activities of daily living：ADL）は日常生活で行われる活動や動作の総称である．リハビリテーションは，対象者の運動機能のみを回復させるのではなく，活動を向上させることに特徴があり，リハビリテーション医学や理学療法・作業療法にとって，ADLは最も重要な基本概念のひとつである．

● 定義

　日本リハビリテーション医学会ではADLを**ひとりの人間が独立し生活するために行う基本的な，しかも各人ともに共通に毎日繰り返される一連の身体動作群である**と定義している．つまりADLとは，1.独立して生活するために行う動作，2.基本的な動作，3.各人ともに共通に行う動作，4.毎日繰り返される動作，でありそのすべてに当てはまる動作であると考えられる．しかし，具体的にどの動作がADLに含まれるのか，現在においても統一された見解があるわけではない．

● 範囲と種類

　ADLは，排泄，食事，移動，整容，更衣など身の回りの活動に移動動作を加えた**基本的日常生活活動（BADL）**（basic ADL）と，買い物や金銭管理や食事の支度など周辺環境に関連した**手段的日常生活活動（IADL）**（instrumental ADL）や**生活関連動作（APDL）**（activities parallel to daily living）に分けることができ，両者を合わせて**拡大日常生活活動（EADL）**（extended ADL）と呼ぶ．

〔ADL（広義）：EADL〕
＝〔ADL（狭義）：BADL〕＋〔IADL：APDL〕

● 評価

　医療や福祉分野では，ADLの能力を評価するために**バーセルインデックス（BI）**（Barthel Index）や**機能的自立度評価法（FIM）**（Functional Independence Measure）を用いることが一般的である．この2つの評価法が対象としているADL項目と内容を表1に示す．

● できるADLとしているADL

　ADLを評価する場合，「できるADL」と「しているADL」の観点から評価する必要がある．「できるADL」は，実際の生活場面では実行できていないが，リハビリ中に何とか遂行できるADL能力を指す．「しているADL」は，実際の生活場面で行われているADLを指す．
　「しているADL」と「できるADL」には個人因子や，環境因子などにより差が生じることが多く，「できるADL」のほうが「しているADL」よりも高いレベルにあることが多い．BIは「できるADL」，FIMは「しているADL」を評価する評価法である．「できるADL」と「しているADL」は区別して評価することで，なぜ違いが生じているのか分析することが重要である．

4 ADLの範囲と種類

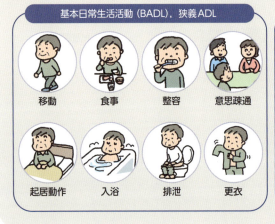

表1　BIとFIMに含まれるADL項目と内容

	ADL項目	小項目	内容	BI	FIM
基本動作	移乗	ベッド，車いす	ベッドと車いすの間の乗り移りができるか	○	
		ベッド，いす，車いす	ベッド・いす・車いすの間の乗り移りができるか		○
		トイレ	便器への乗り移りができるか		○
		浴槽，シャワー	浴槽の出入り，シャワーいすの乗り移りができるか		○
	移動	平地歩行，車いす	歩いたり車いすを使って移動ができるか	○	○
	階段昇降		屋内の12～14段の階段を昇降できるか	○	○
セルフケア（身の回り動作）	食事		食べ物を口に運び噛んで飲み込むまで	○	○
	整容		手洗い，歯磨き，整髪など	○	○
	入浴・清拭		体を洗う，拭くなど	○	○
	更衣	上半身	腰より上の更衣，義肢装具も含む	○	○
		下半身	腰より下の更衣，義肢装具も含む	○	○
	トイレ動作		準備，トイレットペーパーの使用など	○	○
排泄	排泄コントロール	排便	排便のコントロールができる	○	○
		排尿	排尿のコントロールができる	○	○
認知項目	コミュニケーション	理解（聴覚・視覚）	相手の会話や指示が理解できるか		○
		表出（音声・非音声）	考えを言葉や動作で表せるか		○
	社会認識	社会的交流	他人と折り合いを付けたり，交流に参加できるか		○
		問題解決	金銭的，社会的な出来事を合理的に決断できるか		○
		記憶	言葉や出来事を記憶しておくことができるか		○

◎「できるADL」と「しているADL」の例

ADL項目	できるADL（病院・施設を想定）	しているADL（自宅を想定）
移動	リハビリ中は杖で歩くことができる	歩くと疲れてしまうため家では車いすを使用している
トイレ	1人で便器に乗り移り排泄することができる	手すりがないためベッド上でおむつを使用している
食事	自分で食べ物を口に運び食べることができる	家族が食べこぼしを気にしており食べさせてもらう
更衣	福祉用具を使い上着を着ることができる	時間がかかるのがストレスのため介助者に着させてもらう

COLUMN

- 「ADL」の用語は，EADLを指す「広義ADL」と，BADLを指す「狭義ADL」どちらにも使用されることがある。医療や福祉分野においてはBIやFIMの項目を含む「狭義ADL」として使用されることが多い。
- 「できるADL」と「しているADL」に差が生じる要因：個人因子は，動作を行うための筋力や耐久性不足を含む身体機能の問題，認知機能や意欲の低下を含む精神心理状態の問題が挙げられる。環境因子は，介助者の有無などの人的環境と，部屋の構想や福祉用具の有無などの物理的環境が挙げられる。

アクティブラーニングのヒント

▶朝起きてから夜寝るまでの間に行った活動を書き起こし，それぞれの活動がBADL，IADLのどちらに含まれるかまとめてみよう。また，BIやFIMを確認し，忘れている活動がないか確認しよう。

5 生活の質（QOL）

　理学療法士は，障がいのある人の生活の質（quality of life：QOL）の向上を目指す。QOLは，日本語に翻訳すれば「人生の質」「生活の質」あるいは「人生・生活の質」となる。

　QOLは「一個人が生活する文化や価値観のなかで，目標や期待，基準，関心に関連した自分自身の人生の状況に対する認識」とWHOによって定義されているが，その後も概念規定や国際的に統一されたものはいまだ確立されておらず，現在も研究領域や目的に応じてQOLの捉えられ方は異なる。医学的領域で扱われるQOLは身体的な側面に着目した「健康関連QOL」や，幸福な生き方とは何かといった心理的側面に着目した「主観的QOL」などがある。

　対象者の状況をより包括的に捉え，いかによりQOLの高い生活を送るかという情報を得るためには，健康関連QOLと主観的QOL双方の評価を実施することで，QOLの具体化を示す相補的役割をもつと考えられる。

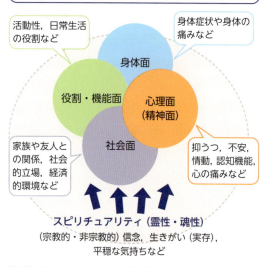

下妻晃二郎：QOLの正しい評価方法を学ぶ．第14回浜松オンコロジーフォーラム，2014.より引用

6 自立生活運動（IL運動）

　QOLの概念は1970年代に広まったとされている。もともと，病気の治療や症状の軽減を図ることが医学の中心であったが，1940年代にADLの概念が発表され，疾患を中心とした考え方から対象者の生活に視点が置かれるようになった。その後，医学の発展により寿命の延長が図られたことから，健康寿命という考え方が導入され，生命の量だけではなく生活の質（QOL）も重視されるようになった。

　生活の質に注目が集まった背景に自立生活運動（IL運動）がある。自立生活運動とは，1970年代に障がいを持つアメリカの大学生たちが起こした抗議運動から始まった社会運動のことで，以下3点の理念を基本としている。

1. 障がい者のニーズとその満たし方を最もよく知るものは障がい者自身である。
2. 障がい者のニーズは，各種多様なサービスを提供する総合的プログラムによって，最も効果的に満たされる。
3. 障がい者はできるだけ地域社会に統合されるべきである。

　つまり，医療者や支援者からの一方向的な支援ではなく，障がい者自身が必要な治療や支援を選択できる**自己決定権**が重要である。また，自立生活の理念では，障がい者が自分の人生や生活の場面において，自分で選択していれば介助者に介助されていても自立していることになる。

◎自己決定権の例

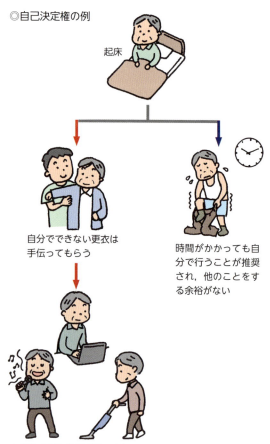

7 ノーマライゼーション (normalization)

　障がい者の生活を理解，支援するうえでノーマライゼーションの理念を理解することが必要である。ノーマライゼーションとは，1950年代に北欧諸国から始まった社会福祉をめぐる社会理念のひとつで，障がい者も健常者と同様の生活ができるように支援するべきという考え方である。また，そこから発展して，障がい者と健常者を特別に区別せず，社会生活をともにするのが本来の望ましい姿であるとする考え方としても使われることがある。

　つまり，障がいのある人が，障がいのない人と同等に生活し活動できる社会をつくりあげる必要があるという発想であり，現在ではバリアフリー・ユニバーサルデザイン化の推進など，ノーマライゼーションの理念をもとにした社会整備が進んでいる。

COLUMN

- 健康寿命：生きている期間ではなく，健康上の問題で日常生活が制限されることなく生活できる期間のこと。
- 自立生活の理念の一例：自立生活運動のなかでよく使われる例え話に，「2時間かけて自分で服を着るよりも，介助を受けて15分で着替え社会参加するほうがより自立している」というものがある。自分一人で行えなければ，一生介助が必要な障がい者であると捉えるのではなく，必要な介助や方法を自分自身で選択し，できる能力で社会参加したほうが自立した（自己決定をした）生活ができていると考えることができる。

ノーマライゼーションの概念

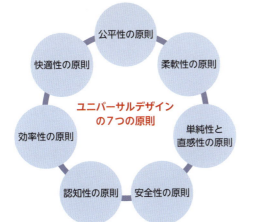

アクティブラーニングのヒント
▶映画「最強のふたり（2011：フランス）」を視聴し，自立生活の理念についてグループで話し合ってみよう。

必要な用語・考え方 II

8章 理学療法士の倫理と適正 I

POINT

- ✓ **バリアフリー**❶は，英語で「バリア＝障壁」「フリー＝なくす」という意味であり，高齢者や障がい者などが生活のなかで不便に感じることのすべての障壁を除去することを指す。

- ✓ **ユニバーサルデザイン**❶は，年齢と性別，障壁の有無に関係なく，はじめから多様な人が利用しやすいように生活環境を設計することを指す。

- ✓ **一次予防**❷では「生活習慣・生活環境の改善」「健康増進」，二次予防では「早期発見」「早期治療」，三次予防では「保健指導」「リハビリテーション」による疾病予防，傷害防止，寿命の延長，身体的・精神的健康の増進を目的としている。

1 バリアフリーとユニバーサルデザイン

●バリアフリー

高齢者，障がい者などが社会生活に参加するうえで障壁（バリア）となるものを除去（フリー）することを指す。また，物理的，社会的な障壁だけでなく制度的，心理的，情報面で障壁などすべての障壁を除去するという考え方である。具体的には，駅などの公共機関にある段差の解消のためのエレベーターやスロープや，学校など公共施設におけるバリアフリートイレの設置などが挙げられる。

●ユニバーサルデザイン

身体機能の違い（障がいの有無）や年齢，性別，国籍，文化的違いなどにかかわらず，誰でも使いやすく利用しやすいように家屋や公共施設などの生活環境を設計（デザイン）することを指す。また，設計をするうえで意識すべき点をまとめた**ユニバーサルデザインの7原則**がある。例として，自動ドアやユニバーサル自販機，シャンプーの容器の突起，ピクトグラム（絵文字）などがある。

ユニバーサルデザインの7原則

1. 公平であること（例：だれでも公平に利用できる，購入できること）
2. 柔軟であること（例：使用するうえで自由度が高いこと，利用者の特性や能力，好みにあったデザイン）
3. 単純であること（例：使用方法が簡単，複雑化しないこと。直観的に使用できるものであること）
4. わかりやすいこと（例：必要な情報がすぐにわかる，伝わる）
5. 安全であること（例：使用する際にミスや危険につながらないデザインであること）
6. 身体的負担が少ないこと（例：楽な姿勢で使用できること）
7. 使いやすい大きさと使用空間が確保されていること（例：介助者のためのスペースを確保すること）

スロープ：段差が通れない場合に使用できるよう設置

COLUMN

- インクルーシブデザイン：年齢や性別，障がいの有無，人種や文化的違いがある人たち，「特定の制約のある人たち」が使いやすい設計の考え方である。インクルーシブデザインは，高齢者，障がい者，外国人（特定の制約のある人たち）の意見をデザインプロセスに反映させて設計する手法である。

- 近年，予防医学に「0次予防」と呼ばれる手法が提唱されている。0次予防は疾病を引き起こす可能性や時期を予測し，発症前から予防に取り組むという考え方である。

バリアフリートイレ：手すり設置，車いすが回転できるスペースが確保されている

ユニバーサル自販機：商品選択ボタンを低い位置に設置

ピクトグラム：一目で理解でき行動しやすい

アクティブラーニングのヒント
- 身近の場所にあるバリアフリーやユニバーサルデザインを探してみよう。
- 具体的な疾病に対する一次予防，二次予防，三次予防を調べてみよう。

2 一次予防・二次予防・三次予防

予防医学は**病気にならないように予防する**という，病気になったら治療を中心に行う臨床医学と対比した医学の概念である。具体的には，疾病予防，傷害防止，寿命の延長，身体的・精神的健康の増進を目的としている。予防医学では，一次予防，二次予防，三次予防に区分され，疾病を未然に防ぐだけでなく，その進行を遅延させることや再発を防止する。

● 一次予防

「生活習慣・生活環境の改善」「健康増進」を図る。健康な時期に疾病の予防を意識し，予防接種による疾病の発生予防，事故防止により傷害の発生を防ぐことを指す。例として，食事・運動習慣の指導，インフルエンザワクチンの予防接種が挙げられる。

● 二次予防

「早期発見」「早期治療」による適切な医療提供と合併症予防を図る。疾病を検診などで早期に発見し，早期の治療と保健指導など適切な対策を行うことで疾病の重症化・合併症を防止する。例として，健康診断やがん検診，人間ドックが挙げられる。

● 三次予防

「病院での治療」「リハビリテーション」による生活習慣の指導や機能回復を図る。主に社会復帰を支援し，既に発症した疾病の再発を防止するために対策を講じる。例として，通院やリハビリテーションが挙げられる。

三次予防
病気の悪化を防ぐ
（例：病院での治療・通院，リハビリテーション）

二次予防
病期を早くみつける
（例：健康診断，がん検診，人間ドック）

一次予防
病気にかからないように気を付ける
（例：食生活改善，運動習慣，禁煙，予防接種）

8章 理学療法士の倫理と適正Ⅰ

職業倫理

POINT

- 倫理とは，社会生活で人の守るべき道理のこと。人が行動する際，規範となるものであり，道徳やモラルともいわれる。
- 理学療法士の倫理を示したものに，公益社団法人 **日本理学療法士協会が出した倫理綱領**[1] がある❶。
- 理学療法士の倫理綱領のほかに，研究を実施する際に則る倫理として，ニュルンベルク綱領，**ヘルシンキ宣言**[2]，ヘルシンキ宣言の内容をさらに具体的に落とし込んだベルモント・レポートなどがある。
- 理学療法士は倫理に則って適切に行動をとる。
- 理学療法士は，より良い理学療法の実践のために，常に最新の情報を手に入れ，技術を磨くよう，**生涯にわたり研鑽を重ねる**❷。

1) 日本理学療法士協会：理学療法士の倫理に関する取り組み (https://www.japanpt.or.jp/pt/announcement/pt/ethics/)
2) 日本医師会訳：WORLD MEDICAL ASSOCIATION ヘルシンキ宣言 人間を対象とする医学研究の倫理的原則 (https://www.med.or.jp/dl-med/wma/helsinki2013j.pdf)

❶ 公益社団法人日本理学療法士協会による倫理綱領[1] 序文

公益社団法人 日本理学療法士協会は，会員が社会において信頼される人間になること，さらには，それを基盤として職能団体として公益に資することを目的として，「倫理綱領」を定めた。会員と日本理学療法士協会が相互の役割を果たす中で一体となって，より良い社会づくりに貢献することを願うものである。

一，理学療法士はすべての人の尊厳と権利を尊重する。
一，理学療法士は，国籍，人種，民族，宗教，文化，思想，信条，家柄，社会的地位，年齢，性別などにかかわらず，すべての人に平等に接する。
一，理学療法士は，対象者に接する際には誠意と謙虚さを備え，責任をもって最善を尽くす。
一，理学療法士は，業務上知り得た個人情報についての秘密を遵守し，情報の発信や公開には細心の注意を払う。
一，理学療法士は，専門職として生涯にわたり研鑽を重ね，関係職種とも連携して質の高い理学療法を提供する。
一，理学療法士は，後進の育成，理学療法の発展ならびに普及・啓発に寄与する。
一，理学療法士は，不当な要求・収受は行わない。
一，理学療法士は，国際社会の保健・医療・福祉の向上のために，自己の知識・技術・経験を可能な限り提供する。
一，理学療法士は，国の動向や国際情勢に鑑み，関係機関とも連携して理学療法の適用に努める。

（1978年5月17日制定）（1997年5月16日一部改正）（2011年4月1一部改正）（2018年3月4日一部改正）

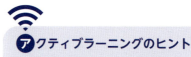
アクティブラーニングのヒント
▶ヘルシンキ宣言は日本医師会による和訳[2]がインターネット上で公開されているので読んでみよう。

82

2 生涯にわたる研鑽

理学療法の対象者は，予期せず身体障害を呈したり，疾患に罹患したりした方が多くいる。理学療法士は，相手の気持ちを汲むとともに，医療は日々進歩しているため，医療についての最新の情報や技術を得るように生涯にわたり研鑽を重ねる。

アクティブラーニングのヒント

▶ 誠意と謙虚さを備えた具体的な行動を挙げてみよう。
▶ インフォームド・コンセントを調べてみよう。

アクティブラーニングのヒント

次の3つの例を見て，セラピストA・Bのどちらが理学療法士の倫理に則った行動をしているか，またどちらが適性のあるセラピストだと考えるだろうか。あなたがケガをした当事者となったときに担当してほしいセラピスト像としても考えてみよう。

セラピストA：今度の大会は残念だったね。でも次の大会には間に合うよ。今からケガをしていない足を鍛えることはできるし，鍛えることでパフォーマンスは向上させられるよ。できるところから始めるのはどうかな。

患者：これまで大会出場を目指して練習してきたのに……。理学療法してももう大会には間に合わないよ……。

セラピストB：自分でケガしたんだから大会に出られないのは仕方ないでしょ。そんなことより，早く自宅に帰るために足を着かないで歩けるようになってよ。さぼっちゃだめだよ。

患者：次の大会に間に合うなら少しずつでも，取り組もうかな。

患者：私だってケガしたかったわけじゃないし，さぼりたいわけじゃないよ。人の気持ちも知らないで。

セラピストA：今日は患者さんの歩行介助がうまくできず，昨日よりも歩けなかったな。身体機能は変わっていないから，介助の方法が影響したかな。明日に向けてセラピストCに協力してもらい，歩行介助の練習をしておこう。

患者さん：今日は昨日より上手に歩けなかったな。頑張っているのに残念だな

セラピストB：今日は患者さんの歩行介助がうまくできず，昨日よりも歩けなかったな。身体機能も低いし，仕方ないな。

セラピストA

患者さん

セラピストB

セラピストA：新しい術式での実施か。術後の理学療法の進め方がわからないな。手術を実施した医師に連絡して，手術後の理学療法の進め方と注意点を確認しよう。その前に文献も調べてみよう。

患者さんの手術記録
・新しい術式で実施
・手術中に特別な問題は生じなかった
・早期の離床が可能

セラピストB：新しい術式での実施か。術後の理学療法の進め方がわからないな。でも医師から特別な指示もないし，問題もなかったようだから，とりあえず今までと同じように進めればいいや。

セラピストA

セラピストB

接遇 I

POINT

- ✓ 理学療法の確かな知識と技術を提供するために，まずは人と接する仕事として適切な「接遇」が望まれる。
- ✓ 接遇の3つの秘訣として，**身だしなみ**❶，**表情や振る舞い**❷，**挨拶や言葉づかい**❸ が挙げられる。
- ✓ コミュニケーションは，「(相手に) 伝える」「(相手から) 受け取る」の双方向性があり，その際の情報の種類には「言語」と「非言語」の情報がある❹。

1 身だしなみ

患者や家族など職員以外の人たちから好印象・安心感を抱いてもらうよう心がけ，清潔感，患者や自分の安全にも配慮しなければならない。爪の長さ，下着や靴下の色や柄，靴下の長さ・臭い・穴・汚れ，髪の長さや髪型，香水などにも気を付ける (図1)。

図1 理学療法士が着用するウェア

ドクターウェア	ロングコートのように丈の長い白衣
ケーシー	半袖，立ち襟のものが一般的。もとは床屋の制服
スクラブ	半そで，首がVネックのもの。スクラブは「ゴシゴシ洗う」という意味である。値段が安くカラーも豊富

よい身だしなみ (男性)

よい身だしなみ (女性)

最近はジャージ，ポロシャツと綿のズボンなどを着用している施設もある (写真はケーシー)。

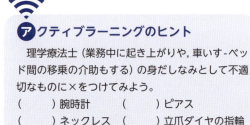

アクティブラーニングのヒント

理学療法士 (業務中に起き上がりや，車いす-ベッド間の移乗の介助もする) の身だしなみとして不適切なものに×をつけてみよう。

- (　) 腕時計　　(　) ピアス
- (　) ネックレス　(　) 立爪ダイヤの指輪
- (　) 明らかに目立つ赤髪
- (　) 色付きマニキュア
- (　) 人工爪 (スカルプチュア，ジェルネイル)
- (　) 人工宝石を付けるなどのネイルアート

2 表情・振る舞い

●表情

口角が引き上がった「い」を言うときの口の形での笑顔がよい。ただし，クレーム対応のときは笑顔を控える。

目線やあごの角度により印象が変わる。患者と目線の高さを合わせ，笑顔で優しく接することを心がける。

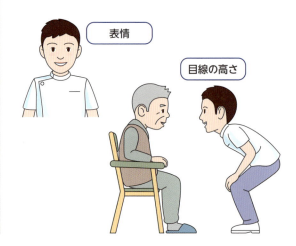

● 振る舞い

　お辞儀は，背中で見た目の印象が変わる。背筋を伸ばして，上体を前傾する（図2）。股関節を曲げるよう意識するとよい。また，背中を丸めるとだらしなく見えるため，気を付ける。

　場面に応じたお辞儀の角度がある。

> **アクティブラーニングのヒント**
> ▶ お互いに背筋を伸ばしたお辞儀と丸めたお辞儀をして印象を確認しよう。
> ▶ 図に示した3つの場面を想定して，それぞれ3つの角度のお辞儀をして印象の違いを確かめてみよう。

図2　さまざまなお辞儀

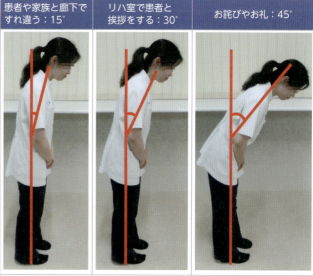

| 背筋を伸ばしたお辞儀 | 背中を丸めたお辞儀 | 患者や家族と廊下ですれ違う：15° | リハ室で患者と挨拶をする：30° | お詫びやお礼：45° |

● 場所の案内

　方向を示すときは指差しではなく**指を揃えて手のひらを見せるよう**に行い，予約票や書類などの受け渡しは**両手で胸の高さで行う**とよい。

方向の示し方　　　書類の渡し方

3　挨拶・言葉遣い

● 挨拶

　笑顔で明るく挨拶することを心がける。「おはようございます」に加え，相手の名前，さらに以下のような言葉を加えるとよりよい印象となる。

> **挨拶に添えると印象が良くなる魔法の言葉**
> 「お加減はいかがですか？」
> 「いかがなさいましたか？」
> 「どうぞお大事に」
> 「お気を付けてお帰りください」

● 言葉遣い（表1～4）

基本的には，敬語（丁寧語，尊敬語，謙譲語）を状況により使い分ける。しかし，慣れてくると友達言葉になっていることが多いので注意しなければならない。

また，患者や家族が理解できない専門用語や流行語の使用は避けること。

表1　尊敬語と謙譲語

	尊敬語	謙譲語
する	される・なさる	いたす・させていただく
いる	いらっしゃる・おいでになる	おる
言う	おっしゃる	申す・申し上げる
聞く	お聞きになる	伺う・承る・拝聴する
見る	ご覧になる	拝見する
行く	いらっしゃる・おいでになる	伺う・参る
来る	いらっしゃる・おいでになる・お見えになる	伺う・参る
もらう	もらわれる	いただく・頂戴する
あげる	あげられる	差し上げる
食べる	召し上がる	いただく・頂戴する

表3　文頭に添えると印象がよくなる言葉

印象がよくなる言葉	使用例
恐れ入りますが	恐れ入りますが，お住まいはどちらでしょうか？
申し訳ございませんが	申し訳ございませんが，あいにくその日の予約は埋まっております。
よろしければ	よろしければ，ご一緒させていただきます。
失礼ですが	失礼ですが，○○様でいらっしゃいますか？
お忙しいところ恐縮ですが	お忙しいところ恐縮ですが，この書類にご記入いただけますか？
お手数ですが	お手数ですが，もう一度お願いできますか？

表4　気を付けたい言葉の例

	不適切	適切
専門用語	関節可動域	関節の動く範囲
	肘を屈曲	肘を曲げる
	Ope（オペ）	手術
	MMT（徒手筋力測定）	筋肉の力をみる
	腹臥位	うつ伏せ
	体幹	上体・胴体
流行語・若者言葉	やばい	最高，すごくよい
	まじ	とても

表2　好ましい言い回し

よく使いがちな言い回し	好ましい言い回し
どなたですか	どちら様ですか
どんな用件でしょうか	どのようなご用件でしょうか
○○先生は本日お休みをいただいています	○○は本日休んでおります
○○先生は不在です	○○は席を外しております
○○先生はいます	○○はおります
○○先生は今，治療中で忙しいです	○○は今，治療中で手を離せない状態です
科長に伝えておきます	科長に申し伝えておきます
こちらに座ってください	こちらにおかけいただけますか
ちょっと待ってください	少々お待ちください
3時に来てくれませんか	3時にお越しいただけませんでしょうか
2時に病室に行きます	2時に病室に伺います／参ります
面会の人が来ています	ご面会の方がお見えになっています
今歩いた様子をビデオ（動画）で見せます	今歩いた様子をビデオでご覧に入れます
介護支援専門員には会いましたか？	介護支援専門員にはお会いしましたか？
○○さんの言うとおりです	○○さんのおっしゃるとおりです
リハ室を5周歩いてくれますか？	リハ室を5周歩いていただけますか？
自宅でできる運動のパンフレットをあげます	自宅でできる運動のパンフレットを差し上げます
仕事に戻れるかは答えられません	仕事に戻ることができるかについてはお答えしかねます
それは知りません／わかりません	それは存じません／わかりかねます
名前を教えてくれますか？	お名前を教えていただけますか？*

＊～を伺ってよろしいでしょうか？／～をお聞かせいただけますか？　でもよい。頂戴できますか？　は誤り

COLUMN　「ご苦労様」と「お疲れ様」

「ご苦労様です」は目上の人が目下の人へ使う言葉で、ある意味、見下した印象を与えるので、使用は避けたほうがよい。「お疲れ様です」が、目上にも目下にも適しているとされる。

アクティブラーニングのヒント

以下について自分の意見をまとめ、話し合ってみよう。
- 医療はサービス業で患者はお客様だろうか？
- 患者は「○○様」と「○○さん」のどちらの呼び方が適切だろうか？

COLUMN　メラビアンの法則

例えば、嫌悪的な感情について、「こっちを見るな」と嫌悪的な言葉を伝える場合、力強く大きな声（嫌悪的な声といい方）で、不機嫌な怒った顔（嫌悪的な表情）で伝えるのがふつうである。ところが、言葉（言語情報）-声の大きさ・高さ・速さ（非言語的な聴覚情報）-表情（非言語的な視覚情報）の3つについて、感情的な「好意・嫌悪・中立」の性質が一致しない場合は感情を判断しにくい。3つの情報について、感情的な性質が不一致な場合に、どれを重要視するかを実験した結果、好意と受け止めた被験者の割合は言葉が7％、声の印象が38％（録音された声）、表情（写真）が55％であった。

4　コミュニケーション

コミュニケーションは一方的なものでなく、双方向のものである（図4）。

相手に「伝える」能力と相手から「受け取る」能力が必要となり、いわゆる、「話し上手」と「聴き上手」の両立が望まれる。

図4　コミュニケーションの双方向性と4要因

●言語情報・非言語情報

やり取りする情報は、言語（Verbal／バーバル）だけでなく、非言語（Non-verbal／ノンバーバル）の情報もある。非言語情報には、視覚情報（身振り・手振り、表情・態度）や聴覚情報（声の大きさ・高さ・速度）などがある。非言語の情報により、言語情報に伴う感情を強める、あるいは言語情報とは逆の本心をくみ取るなど場の空気を読むことにつながる。

●聴くこと（傾聴）

傾聴もコミュニケーション能力として重要であり、その意味で「コミュニケーションは言葉のキャッチボール」と比喩されるように双方向性がある。傾聴により相手が伝えたいことも理解しやすくなる。

傾聴のコツは、「相手の話を最後までしっかりと聴く」ことであり、相手の話の途中でさえぎる、続きを先回りして自分が話し始める、相手の話す内容を否定するようなことは避けるようにする。

また、「気持ちに寄り添ってくれている」、「共感してくれている」と相手に感じてもらうことが信頼関係づくりに有用である。そのために、相手の方に視線と体を向けるほか、表情、うなずきや相づちなどにより、相手の話に興味・関心を持って聴いている姿勢を見せることも重要である。

COLUMN　ビジネスのホウレンソウ

業務をスムーズに進行させるために身につけたい行動として、上司や先輩への「報告・連絡・相談」の3つを略した「報・連・相（ホウレンソウ）」が、新人研修などで挙げられる。

接遇Ⅱ：医療面接，インフォームド・コンセント

POINT

✔ 医療面接❶とは，患者と対面でのコミュニケーションで，情報を引き出し，その意味を捉えることである。以後展開される理学療法においてその成否を決める重要な場面となる。したがってさまざまな症状を呈する患者に対応した接し方・話し方が理学療法士に求められる。

✔ 医療面接の基本（質問の基本技術）❷を基に実施し，患者の気持ちを和らげるための面接技術❸を取り混ぜていくことが必要である。

✔ 理学療法の展開には，お互いの信頼関係が重要であり，インフォームド・コンセント❹が前提となる。

1 医療面接

医療面接と問診は，ほぼ同義語として捉えられているが，広辞苑によると問診は，「患者の訴えを聞き，細部に関して尋ねながら病状のだいたいを判断すること」である。

一方医療面接は「患者の訴えを全人間的に捉え，訴えの意味を確認することを目的に，さまざまなコミュニケーションにより情報収集をすること」としている。つまり医療面接は，単に病歴などの情報収集だけではなく，問題点を解決するために考えることを含んだものである。

> 医療面接の目的
> 1. 信頼関係（ラポール）の構築
> 2. 患者が抱える問題の情報収集
> 3. 目標の共有と動機づけ

2 医療面接の基本

医療面接では患者の個人情報が第三者に漏れないように，かつ集中しやすい環境で行う。また患者が理解しやすいように専門用語は避け，ゆっくりと聞き取りやすい声量で話すよう心掛ける。場合によっては紙に文字や絵を書くことも用いられる。

患者に対して親しみを込めるつもりで，馴れ馴れしい口調は使わず，誰に対しても上から目線の話し方は避けるようにする。

● 観察

面接時患者の顔の表情，視線，身振り，姿勢，距離感など非言語的コミュニケーションをくみ取ることは非常に重要である。ただ注意しなければならないのは，観察は理学療法士だけが行っているのではなく，患者からも観察されていることを頭に入れておくことである。

したがって面接時には，患者が抱く第一印象が重要であり，接遇Ⅰ（前頁参照）にある身だしなみ等を整えておくことが前提となる。第一印象は，外見や装いなど視覚からの情報が主要な部分を占める。

◎非言語的コミュニケーション
　言葉を介さないコミュニケーションのこと。
・身振り，しぐさ，ジェスチャー，姿勢，顔の表情
・視線
・握手，ボディタッチ，手を添えるなどの接触行動
・パーソナルスペース（距離感）

◎悪い印象を与えるボディランゲージ
　笑顔がなく不機嫌そうな表情，腕組み，指差し動作，視線を合わせない，脚組み，時間（時計）を気にする，興味がなさそうな態度，雰囲気が暗い，過緊張，高すぎるテンション　など。

◎メラビアンの法則

人の第一印象は瞬間的に判断される。「3Vの法則」「7-38-55のルール」ともいう。

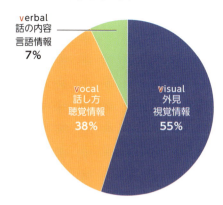

● 傾聴

相手の話しを聞くだけではなく，注意深く丁寧に話しの内容や訴えを**受容的**かつ**共感的**な態度で，しっかりと受けとめるよう"聴き取る"技法。

顔の表情やしぐさ，発する言葉の意味をくみ取ることが重要である。

◎傾聴の技法

1. うなずき
2. 相づち
3. 反復：相手の言葉を繰り返し，理解していることを示す。反復した言葉について具体的な質問を行う。
4. 要約：内容をまとめ相手に返すことで確認や納得を示す。
5. 沈黙：黙って寄り添う態度を示し，相手の反応を待つ。

COLUMN 聞くと聴く

聞く (hear)：音や声が耳に入る状態
聴く (listen)：意識して聞き取ろうとしている状態

● 受容

聴く側の心構えであり，相手を受け入れて取り込むことである。つまり相手の気持ちを理解し，存在そのものを受けとめることである。また肯定や否定など評価せず，アドバイスもしない。

● 共感

相手の気持ちを把握し，伝えようとする言葉や行動の意味を理解したうえで，自分の感情を相手と同調させること。共感するときに多用される語句は，苦しい，つらい，悲しい，悔しい，困る，腹が立つ，不安など負の感情を表す語句が多い。

COLUMN 共感 (empathy) と同情 (sympathy)

共感と似ているが異なる意味を持つ用語に同情がある。同情の主体は自分にあり，好ましくない（悲しみや苦悩，不幸）状況にある相手に対し，哀れみ，思いやる場合に用いられることが多い。したがって，共感はされても同情はされたくないといったことを聞くことがある。

3 面接技術

● 質問の種類（次ページ図1）
● 医療面接時の質問項目

臨床で質問する項目のキーフレーズをまとめているものがいくつかあるので，面接時に参考にするとよい。

◎ OPQRST

O	Onset 発症機転	いつから始まったか？
P	Palliative & Provocative 寛解，増悪因子	どんなときに良く（悪く）なるのか？
Q	Quality & Quantity 性状と強さ	どんな／どのくらいの？
R	Region 部位	どこが？
S	Symptoms 随伴症状	他には？
T	Time course 時間経過	最初は？ どう変化した？ 今は？

アルファベット順に並べているので覚えやすいが，実際の臨床場面での質問順序とは異なる。

図1　質問の種類

open-ended question 開かれた質問法 （自由質問法）	自由に訴えや言いたいことを答えることができる質問法である。医療面接の始めに用いることで，信頼関係を構築したり，相手の安心感を得られやすい。半面言語や認知に障害のある人には適さないことがあり，面接時間が長くなってしまう	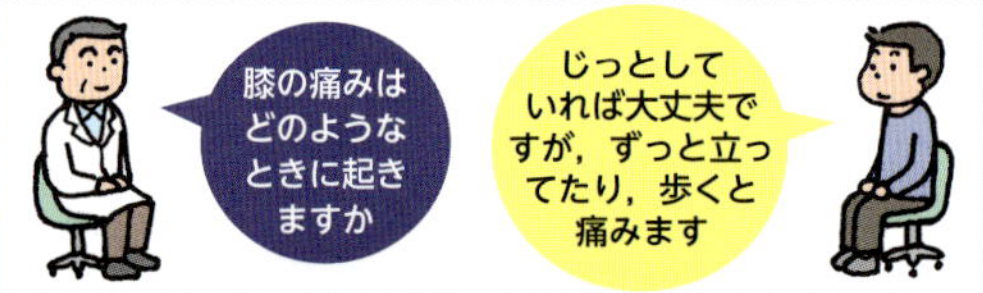 膝の痛みはどのようなときに起きますか	じっとしていれば大丈夫ですが，ずっと立ってたり，歩くと痛みます
closed question 閉じた質問法 （直接的質問法）	答えが限定され，Yes/Noで明確に答えられる質問法である。ポイントを絞ることで，質問を効率的に進めることができる。半面具体的な内容に欠け，会話が続かなくなることがある	 今膝の痛みはありますか	イイエ
neutral question 中立的な質問法	Yes/Noで答えることはできないが，明確に答えることができる質問法である。相手の名前や住所を聞いたりすることも含み，面接の導入時に用いることができる	 膝が痛むのはどんなときですか	階段を降りるときです
focused question 焦点を絞った質問法	訴えをより具体的に聞き取るための質問法であり，障害の本質を把握したり，理学療法の展開を考えるのに役立つ	 膝の痛みはどのような痛みですか	ずきずきとうずくような痛みです
multiple choice question 多項目質問法	複数の回答例を設け，相手に選んでもらうことで，返答しやすくなっている。ただし当てはまらない選択肢を提供すると，答えにくくなる。	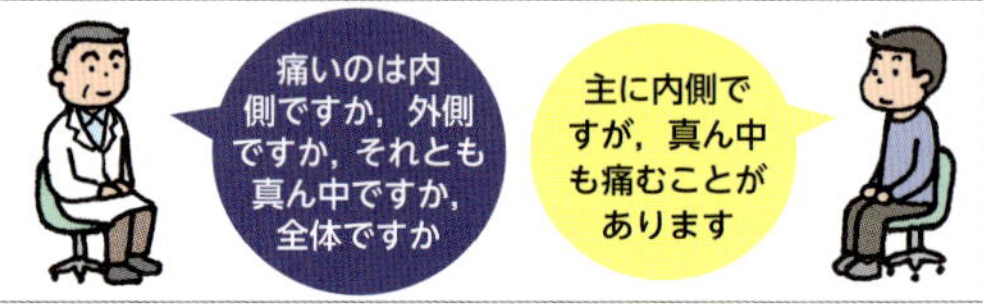 痛いのは内側ですか，外側ですか，それとも真ん中ですか，全体ですか	主に内側ですが，真ん中も痛むことがあります

◎ LQQTSFA

L	Location 部位	どこが？
QQ	Quality/Quantity 質／量	どんな？　どのくらいの？
T	Timing 時間経過	いつから？　どう変化した？　今は？
S	Setting 発症の状況	何をしているときに起きた？
F	Factor 増悪・緩解因子	どうしたら悪くなる？　楽になる？
A	Associated symptoms 随伴症状	他には？

質問順序とほぼ同じ順に並べているが，やや覚えにくい。

その他，OLQIFATやCOMPLAINTS，LIQORAAAなどが用いられている。

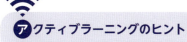

アクティブラーニングのヒント

▶患者役とセラピスト役に分かれて，OPQRSTなどを用いた医療面接をやってみよう。まず患者役の疾患を決め，挨拶・自己紹介・患者の確認をしたうえで，対面の位置も考慮して始めよう。

● 気をつけたい質問法

◎誘導的質問

　「膝の痛みは昼間より朝のほうが痛むのではないですか」など患者の考えを誘導することで，結果的に誤った情報を認識してしまうおそれがある。

◎重複した質問

　「膝で困っているのは，動きが悪いからですか，力が入らないからですか，痛いからですか」など2つ以上のことを質問することで，相手を困惑させることになる。結果的にポイントとなる情報を得るために，何度か聞き返さなければならなくなる。

● 医療面接の進行

導入
- （事前にカルテや家族からの情報収集）
- 挨拶
- 患者氏名の確認
- 自己紹介
- 面接について説明と同意

↓

医療面接
- 観察
- 最初は開かれた質問や中立的な質問から始め，内容によって焦点を絞った質問を行う。通常閉じられた質問は少なめにし，合間に受容・共感的態度を示しつつ，要約と確認により相手が言い残したことがないかを確認する。
- 質問内容はOPQRSTやLQQTSFAなどを参考に聴取を進める。

↓

終了
- 今後の方針を伝える
- 終了の挨拶

インフォームド・コンセント（informed consent）

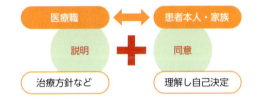

● 根拠法

医療法第1条の4　第2項
　医師，歯科医師，薬剤師，看護師その他の医療の担い手は，医療を提供するにあたり，適切な説明を行い，医療を受ける者の理解を得るよう努めなければならない。

● 利点
- 丁寧な説明により患者の不安を取り除くことができる。
- 治療（理学療法）に対し，患者が主体的に取り組むことができる。
- 患者との間に信頼関係を築くことができる。

● 問題点
- 説明を十分に行ったつもりでも，患者が理解できないまま同意することがある。
- 治療（理学療法）効果に医療者側の予想と患者の期待に意識の差が生じることがある。

● 代諾
　インフォームド・コンセントは，患者の同意能力が保たれていることを前提にしているが，説明を理解したり，同意する判断能力が不十分なことから自己決定ができない下記のような場合，保護者や後見人，医師が本人に代わり承諾（代諾）することがある。
- 未成年者に対する保護者による代諾。
- 意識障害や認知症患者に対する家族や法律上の後見人による代諾。
- 精神疾患など説明を理解し同意することが困難な患者に対する医療専門家による代諾。

● できない場合の対応
　救急患者など生命の危機に瀕している場合，事前の説明を省き事後に説明を行うことがある。がんの告知に関して，患者の性格や精神状態，家族の希望を考慮する必要がある場合，内容を吟味して伝えることがある。

> **COLUMN　インフォームド・アセント**
> 小児患者に対し，医師が病状や治療方針をわかりやすい言い回しや絵などを用いて説明し，本人の自発的な同意を得ること。病気に向き合う意欲の向上に役立つ。

ハラスメント

9章 理学療法士の倫理と適性Ⅱ

POINT

- ✓ ハラスメント❶は，直訳すると「いじめ，嫌がらせあるいは迷惑行為」とされており，被害者が不利益や苦痛を感じる言動のすべてを指す。わが国では，ハラスメントに関わる法律として，労働施策総合推進法（パワハラ防止法），男女雇用機会均等法，育児・介護休業法，などが代表的なものである。
- ✓ ハラスメントの種類は多岐にわたっているが，法律で定められているハラスメント❷として，パワーハラスメント，セクシュアルハラスメント，マタニティハラスメント／パタニティハラスメントが挙げられる。
- ✓ さまざまな場面でのハラスメントに対し，健全な人間関係，環境の整備のためハラスメント対策❸が実施されているので，知識として身につけておきたい。

1 ハラスメント

ハラスメント（harassment）とは，相手への言動により不快な感情を抱かせたり，恐怖心を植え付けるなど，尊厳を踏みにじる人権侵害である。たとえ悪意がなかったとしても，された本人が嫌な行為はハラスメントとみなされる。

2 代表的なハラスメント

● パワーハラスメント

職場における優越的な関係を背景とした言動により労働者の労働環境を害すること。

6類型
- 身体的な攻撃（暴行，傷害）
- 精神的な攻撃（脅迫，侮辱，名誉棄損）
- 人間関係からの切り離し（隔離，無視）
- 過大な要求
- 過小な要求
- プライバシーの侵害

● セクシュアルハラスメント

職場における性的な言動により，労働者に対して不利益を与えること。異性に対するものだけでなく，同性間の性的な言動も含まれる。

・対価型セクハラ

優遇する対価として性的な言動を要求する。または労働者の対応（拒否や抵抗）を理由に，その労働者を解雇，降格，減給にするなどの不利益を与えること。

・環境型セクハラ

職場内での性的な言動により労働者の就業環境を害すること。例として，卑猥な会話，飲み会でのお酌の強要など。

● マタニティハラスメント

妊娠，出産，育児に関する言動により，女性労働者の就業環境を害すること。育児に対する言動により，男性労働者の就業環境を害することをパタニティハラスメントとしている。

● ケアハラスメント

介護休業の利用に関する言動により，労働者の就業環境を害すること。

COLUMN

ハラスメントと刑事責任・民事責任

刑事では，暴行罪，傷害，脅迫，名誉棄損，侮辱罪，強制わいせつ罪，強制性交罪，民事では損害賠償に問われる可能性がある。

2

ハラスメント	内容
アカデミックハラスメント（アカハラ）	研究・教育機関などにおいて，優位性をもとに不利益や身体的・精神的苦痛を与えること
アルコールハラスメント（アルハラ）	イッキ飲みの強要，無理やり飲ませるなど酒席で迷惑行為を行うこと
スメルハラスメント（スメハラ）	体臭，口臭，臭いのきつい柔軟剤や香水の使用などで不快にさせること
カスタマーハラスメント（カスハラ）	客や取引先からの悪質なクレームや要求する行為。土下座の強要など
カラオケハラスメント（カラハラ）	カラオケが苦手な人に対し，歌を強要すること
ジェンダーハラスメント（ジェンハラ）	女のくせに・男のくせに，女らしく・男らしくなど，性に関する固定観念や差別を行うこと
エイジハラスメント（エイハラ）	年齢による差別や偏見嫌がらせなどの言動。「最近の若い者は〜」「若いんだから〜」など
スモークハラスメント（スモハラ）	喫煙者からの喫煙の強要や受動喫煙による迷惑行為
テクノロジーハラスメント（テクハラ）	パソコンなどIT機器が苦手な人に対するいじめや嫌がらせ
セカンドハラスメント（セカハラ）	ハラスメントを相談することで逆に責められたり，嫌がらせを受けること
リストラハラスメント（リスハラ）	不当な配置転換や職場に居づらくなるようにして自主退職に追い込む行為
逆パワーハラスメント（逆ハラ）	部下から上司へのいじめや嫌がらせ。誹謗中傷や，何でもハラスメントだと騒ぎ立てるなど

その他，ソーシャルハラスメント，終われハラスメント，時短ハラスメント，SOGIハラスメント，ドクターハラスメント，レイシャルハラスメント，エアコンハラスメント，ブラッドタイプハラスメント，ヌードルハラスメント，ほか多数

3 ハラスメント対策

多くの組織で，所属する人々の安全や健康，人権や尊厳を守る対策を講じているが，内容が周知されていなかったり，対応の仕方が明確でなかったり，被害者のフォローアップが不十分なことも多い。

厚生労働省ハラスメント防止ポスター
厚生労働省あかるい職場応援団
(https://www.no-harassment.mhlw.go.jp/jinji/download/)

● ハラスメントの対処方法

1) ハラスメントを受けたら，相手にはっきりとその場で，ハラスメントであることを伝える。それが難しい場合，できるだけ接触を避けるようにし，ハラスメント行為を細かく記録しておく。可能なら音声や動画での記録を取るようにする。
2) 自分一人で悩まず周囲の協力を得るため同僚や上司，施設内の窓口に相談する。
3) ハラスメントが継続し，心身とも健全な状態を保てなくなるおそれがある場合，消極的な方法かもしれないが，自分を護るためいったん所属する組織あるいは部署から身を引くことを考える。
4) 個人の力だけでは解決が困難だったり，内部の対策に不安がある場合，**外部の相談窓口**を利用する。
5) 弁護士に相談する。この場合，事前に証拠（記録）を集めておくことで，その後の展開を有利に運ぶことができる。

【外部の相談窓口】

・総合労働相談コーナー
・法テラス
・ハラスメント悩み相談室
・労働条件相談ほっとライン
・みんなの人権110番

産業衛生

POINT

- ✔ 産業衛生[1]は，産業保健や労働衛生と同義語であり，医学的側面での研究や実践の場においては，産業医学という用語が用いられている。
- ✔ 産業衛生の目的と役割[2]は，労働者の健康を保護し，職場環境を整えていくことであり，産業保健専門職により労使に対し主体的に産業保健活動に取り組めるよう支援するなど，さまざまな活動を行っている。
- ✔ さまざまな取り組みの中で，労働者の健康を護り，危険のない環境で働くことができるように安全衛生[3]についての基礎知識は重要である。

1 産業衛生

産業衛生は，実践の場である事業所では「産業保健」，行政の視点からは「労働衛生」の用語が用いられ，それぞれ同義語として捉えられている。また医学的側面においては「産業医学」という用語が用いられる。

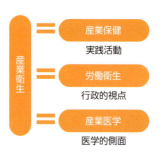

2 産業衛生の目的と役割

日本産業衛生学会 産業保健専門職の倫理指針（2000）によると，「労働条件と労働環境に関連する健康障害の予防と，労働者の健康の保持増進，ならびに福祉の向上に寄与することにある。産業保健専門職は職域における安全衛生の確保を図る労使の活動に対して専門的立場から関連する情報の提供，評価，助言などの支援を行う。その活動対象には，個々の労働者だけでなく，労働者が所属する組織，地域をも含む」としている。

◎産業保健専門職

産業医，産業看護師・保健師，衛生管理者，安全管理者，総括安全衛生管理者，安全衛生推進者，作業主任者，化学物質管理者，心理専門職などがあり，医療，生活，仕事の各分野で関わりを持ち合いながら，本文中にある日本産業衛生学会の指針に従い活動している。

3 安全衛生

● 安全衛生の目的

健康を保ち，危険のない環境で安心・安全に働くことができるようにすることである。そのため，労働安全としての災害防止，労働衛生としての健康維持が2本柱となる。
（労働安全衛生法）

● 臨床における事故防止

◎意識・行動

事故につながる不適切な行動を知る。

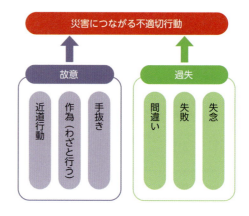

◎周囲への配慮
・動線上の障害物を除く
・周囲を確認する（視野角60°より外側は認識しづらい）
・人や物を運ぶときには視界を保つ

◎適切な職場環境
・整理 ┐
・整頓 │ 職場環境の基本：4S
・清掃 │
・清潔 ┘

● 労働災害

　転倒は，労働災害のなかで最も多く，長期に休まざるを得ない原因となっている。転倒事故の原因は，滑り，躓き，段差の踏み外しであり，それぞれに対し環境整備（4S），作業方法の見直し，危険情報の共有など防止対策の取り組みが求められる。

　腰痛は休業4日以上の原因を占める割合が多い労働災害である。腰痛予防策として，重量物の取り扱い方法，作業中の姿勢に対する指導や装着型サイボーグ（図1）の利用も奨励されている。また健康診断や理学療法士による腰痛予防体操などが実施される。

図1　装着型サイボーグ「HAL®」腰タイプ

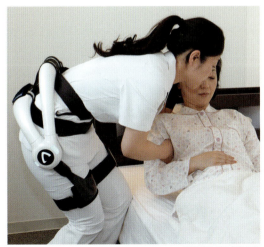

CYBERDYNE（株）提供

● 健康維持
・健康診断・健康管理手帳
・メンタルケア
・休養
・バランスの取れた食生活
・睡眠

COLUMN
労働衛生基準の改正（令和3年12月）

見直し項目

照度，便所，休憩室・休養所，休憩設備，更衣室・シャワー設備，温度，一酸化炭素・二酸化炭素の測定方法，救急用具，発汗作業に関する措置

アクティブラーニングのヒント
▶理学療法場面で活用されている最新テクノロジーを調べてみよう（例：他のロボットスーツ，VRゲームなど）。

10章 理学療法に必要な研究法

研究デザイン

POINT

- 研究は，介入の有無により**介入研究と観察研究**❶に分類される。

- 介入研究には，対象者をランダムに群に割り振るか否かにより，**ランダム化（無作為化）比較試験と非ランダム化（非無作為化）比較試験**❷がある。

- 非ランダム化（非無作為化）比較試験のひとつとして，対照群の設定が不要で，1症例で介入期と非介入期を設定して比較ができる**シングルケースデザイン**❸がある。

- 観察研究には，比較する対照の有無により**分析的観察研究と記述的研究**❹がある。

- 分析的観察研究には，経過観察の有無により**縦断研究と横断研究**❺がある。

- 縦断研究には，扱うデータの時期と内容により**前向き研究と後ろ向き研究**❻がある。

- 縦断研究のひとつに，原因を先に測定して原因を有する群と有しない群に分けて結果を追跡する**コホート研究**❼があり，原因が過去の**後ろ向き研究**と原因が現在の**前向き研究**がある。また，後ろ向き研究のひとつに，結果である現在の疾患発症の有無を先に測定する**ケースコントロール研究**❼がある。

- 観察研究のひとつに1症例の経過報告である症例報告（**シングルケーススタディ**）がある❽。

- 単独の研究では**ランダム化比較試験**のエビデンスが最上位であるが，それよりも複数の研究をまとめた**データ統合型研究**❾のエビデンスが高い。

※なお，研究デザインの分類は複数あり，本分類とは異なる分類もある。

❶ 介入研究（実験的研究）と観察研究

◎介入研究：1・2のどちらか。
1. 介入（通常の診療を超えた医療行為）を研究目的で実施する研究。
2. 通常の診療と同等の医療行為であっても，研究に参加する人たちの集団を2群以上のグループ「介入群と非介入群（対照群）」などに分け，効果等を比較する研究。

◎観察研究：介入研究ではなく，観察によって得られたデータを用いる研究。

❷ ランダム化（無作為化）比較試験と非ランダム化（非無作為化）比較試験

◎ランダム化（無作為化）比較試験
 介入研究において，介入群と対照群を設け，振り分けをランダムに行う。
1. ランダム化：（エクセル関数「RAND＝（ ）」を用いる）などの乱数を用いる。
2. 準ランダム化：サイコロやあみだくじを用いる。

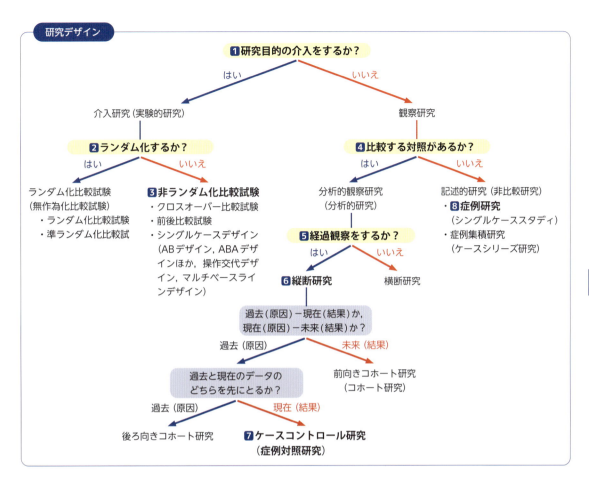

◎非ランダム化（非無作為化）比較試験
1. クロスオーバー比較試験：介入研究において，介入群と対照群を設けず，同一群内で介入期-非介入期の順，非介入期-介入期の順に行う人に振り分け，介入期と非介入期を比較する。
2. 前後比較試験：介入研究において，集団を対して少なくとも介入前後の2回以上の測定を行い比較する。
3. **シングルケースデザイン：介入研究において，1症例や少人数症例を対象として，介入期と非介入期に複数回の測定を行い比較する** ❸。

▼クロスオーバー比較試験

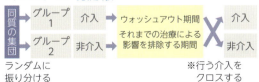

ランダムに振り分ける　　　　　※行う介入をクロスする

▼前後比較試験

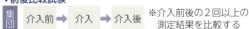

※介入前後の2回以上の測定結果を比較する

▼シングルケースデザイン
❸参照

❸ シングルケースデザイン

◎非介入期間（ベースライン期，基礎水準期）をAと表現する。
◎介入期間（介入期）をB，さらに別の介入を行った期間があればC……と表現する。

1. ABデザイン：非介入期間（ベースライン期）Aに続き，介入期間Bを設ける。
2. ABAデザイン：非介入期間A，介入期間Bに続き，非介入期間Aを設ける。
3. その他：ABAB，BABのほか，別の介入期間Cも加えたABCBデザインなどもある。
4. 操作交代デザイン：非介入日A，介入日Bをランダムに入れ替えて，ABBABAA……などと進める。
5. マルチベースラインデザイン（多層ベースラインデザイン）：1症例に対して複数の行動，複数の場所など，あるいは少数症例を設定し，それぞれの行動，場所，症例ごとに非介入期間を変えて介入期をスタートする。その後，再び非介入期を設定することもある。

▼ABデザイン

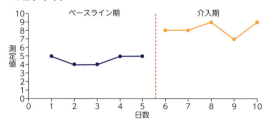

▼ABAデザイン

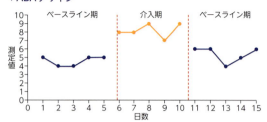

▼操作交代デザイン

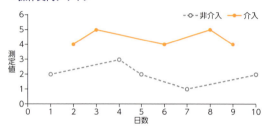

▼マルチベースラインデザイン

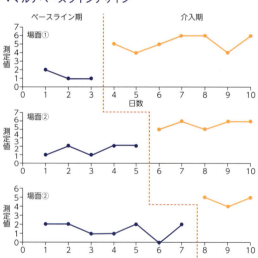

4 分析的観察研究と記述的研究

◎観察研究
1. 分析的観察研究（分析的研究）：比較する群を設ける。
2. 記述的研究：比較する群を設けずに1人または1群とする。

◎例
分析的観察研究

記述的研究

＊1名または複数名の群

5 縦断研究と横断研究

◎分析的観察研究
1. 縦断研究：過去と現在（または現在と未来）など2回以上観察する研究。
2. 横断研究：一時点での1回だけ観察する研究がある。

◎例
縦断研究
1）因果関係の検討　　　2）関連性の検討

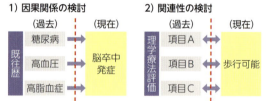

横断研究
1）因果関係の検討
※横断研究では因果関係は検討できない。

2）関連性の検討

※縦断的研究，横断的研究の用語は，分析的観察研究以外でも研究デザインの表現に用いることもある。

6 前向き研究と後ろ向き研究

◎縦断研究
1. 前向き研究：現在のデータと未来のデータを観察，調査する研究。
2. 後ろ向き研究：現在のデータと過去のデータを調査，観察する研究。

◎例

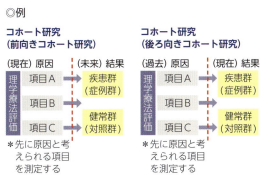

7 コホート研究とケースコントロール研究

◎縦断研究

1. コホート研究：因果関係を検討する方法として，原因と考えられるデータを先に測定し，それを有するグループ（曝露群）と有しないグループ（対照群）に分けたうえで，結果（アウトカム）と考えられるデータを追跡して比較する研究。
   - 前向きコホート研究：原因と考えられる現在のデータと結果と考えられる未来のデータを用いる。[前向き研究]
   - 後ろ向きコホート研究：原因と考えられる過去のデータと結果と考えられる現在のデータを用いる。[後ろ向き研究]
2. ケースコントロール研究（症例対照研究）：因果関係を検討する方法として，結果と考えられる現在のデータを先に測定し，ケース群（症例群）とコントロール群（対照群）を設定し，原因と考えられる過去のデータを比較する研究。[後ろ向き研究]

◎例

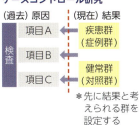

8 シングルケーススタディ

◎シングルケーススタディ：開始時と終了時などの観察結果を記述した症例報告であり，変化を示すことはできるが，介入と結果の因果関係（介入効果）を示すことはできない。
◎症例集積研究：複数の症例のシングルスタディ結果をまとめたもの。

9 データ統合型研究

複数の研究データや結果を用いる研究である。
◎メタアナリシス：ランダム化比較試験（RCT）など複数の類似した臨床研究の**データを統合**して統計的解析を行い，より総合的な評価をすること。
◎システマティックレビュー：ランダム化比較試験（RCT）など複数の類似した臨床研究を集め，**定められた基準と流れで批判的に吟味**してまとめたもの。

> **COLUMN**
> **研究デザインとエビデンスレベル**
>
> 単独の研究ではランダム化比較試験（RCT）のエビデンスが一番高いが，複数の研究データや結果を用いるデータ統合型研究のほうがエビデンスレベルは高いとされる（**p.70 図2参照**）。

> **COLUMN 覚えよう！**
>
> **RCT**（アールシーティー）：ランダム化比較対照試験（無作為化比較対照試験）はRandomised Controlled Trialの頭文字を用いてRCTと表現されることが多い。

10章 理学療法に必要な研究法

基本統計量・統計

POINT

- 基本統計量[1]の代表的な指標として，**平均値**や**中央値**，**標準偏差**，**最頻値**，**範囲**などがあり，得られたデータ全体の特性やパターンを要約するために用いられる。

- **尺度**[2]には**名義尺度**，**順序尺度**，**間隔尺度**，**比尺度**がある。

- **正規分布と非正規分布**[3]は，データの分布を表す重要な概念である。**ヒストグラム**は，データの分布を可視化することができ，データの分布の姿，平均値の大体の位置，データのばらつきなどを視覚的に確認することができる。

- **統計学的検定**[4]は，まず**帰無仮説**を設定することから始まる。必然的に**対立仮説**が設定され，統計学的検定では，帰無仮説と対立仮説のどちらか一方を採用することになる。

- **誤差**[5]には主に**測定誤差**と**系統誤差**がある。測定誤差は，測定や観測において発生する不確かさを指す。系統誤差は，測定値が真の値から一定の方向にずれる誤差を示す。

- **第1種の過誤**は，真の仮説が誤って棄却される誤りを示し，**第2種の過誤**は，真の仮説が受容されるべき場合に，誤って帰無仮説を受容してしまう誤りを示す[6]。

1 基本統計量

基本統計量は，得られたデータの特性やパターンを要約し，理解するために使用される統計的な手法や指標のことを指す。基本統計量は，データの中心傾向やばらつきなどの特性を定量的に示し，データの全体像を把握することに役立つ。

● 平均値（mean）

平均値は一連の数値の合計をその数の個数で割った値で，**与えられた数値の平均的な値**を示す。

例えば，日本人10人のBMI [kg/m²]の値が下記であったとする。

| 22.9 | 23.5 | 27.1 | 24.1 | 24.3 | 27.4 | 24.9 | 21.5 | 22.6 | 23.1 |

これらの値を合計すると，合計は241.4であり，データの数の総数の10で割ると下記のように平均値が算出される。

平均値＝データの総和／データの個数
241.4 ÷ 10 ＝ 24.1

● 標準偏差（standard deviation）

標準偏差は，得られたデータの数値が**平均値からどれだけばらついているかを示す尺度**である。標準偏差が小さいほど平均値に集中しており，標準偏差が大きいほど平均値から分散していることを示す。

例：日本人と米国人それぞれ10名のBMIを例に平均値と標準偏差を算出する。

| 日本人10名のBMI | 22.9 | 23.5 | 27.1 | 24.1 | 24.3 | 27.4 | 24.9 | 21.5 | 22.6 | 23.1 |
| 米国人10名のBMI | 31.3 | 26.2 | 26.4 | 24.7 | 20.7 | 34.7 | 27.0 | 12.2 | 28.2 | 21.2 |

日本人の平均BMI：
　（22.9 ＋ 23.5 ＋ 27.1 ＋ 24.1 ＋ 24.3 ＋ 27.4 ＋ 24.9 ＋ 21.5 ＋ 22.6 ＋ 23.1）／ 10 ＝ 24.1

米国人の平均BMI：
　（31.3 ＋ 26.2 ＋ 26.4 ＋ 24.7 ＋ 20.7 ＋ 34.7 ＋ 27.0 ＋ 12.2 ＋ 28.2 ＋ 21.2）／ 10 ＝ 25.3

日本人と米国人のBMIの平均点の差は1.2と，さほど大きく変わらないが，**標準偏差**を計算することでデー

タの一貫性やばらつきを評価できる。標準偏差の算出の詳細は成書に譲るが，標準偏差を計算すると日本人で1.9，米国人で6.2となる。米国人の標準偏差が日本人より大きいことは，米国人のBMIが日本人よりばらついており，一貫性が低いことを示す（図1）。このように，標準偏差は平均だけでは得られないデータの詳細な情報を提供し，データセット内のばらつきや一貫性を評価するために役立つ重要な統計的な尺度である。

図1　平均値と標準偏差

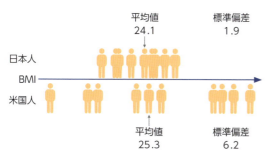

● 中央値 (median)

　中央値は，得られたデータの数値を小さいほうから順に並べたとき，中央に位置する値を指す。**データの分布において中央に位置する値**と言える。中央値は，外れ値（極端な値）がある場合でも中央に位置する値を示すため，データの分布を歪めずに中央傾向を評価するのに役立つ。例えば，収入データを考えてみると，一握りの高収入者がいる場合，平均値は外れ値に引っ張られる可能性があるが，中央値は中間の収入を表すことができる。データの数が偶数の場合は，真ん中にあたるデータは2つ存在するため，その2つのデータの平均が中央値となる。

● 最頻値 (mode)

　最頻値は，得られたデータで**最も頻繁に現れる値**を指し，データセットの中心的な傾向を示す統計量のひとつである。例えば，テストの点数を例にした場合，最頻値は最も多くの学生が取得した点数を示す。最頻値は平均値や中央値と並んで，データの中心的な特徴を理解するための統計的な手法の一部として使用される。

● 範囲 (range)

　範囲は，標準偏差と同じようにばらつきを表す値である。データの中の最小値と最大値の差を示し，データの分布の幅を表す。

2 尺度 (Scale)

　尺度はデータや変数がどのような種類の測定スケールを持っているかを示す。尺度はデータの性質に基づいてデータの種類を分類するために使用され，名義尺度，順序尺度，間隔尺度，比尺度がある（表1）。統計解析は尺度に応じた手法を選択する。

表1　変数の尺度水準

名義尺度	測定対象をいくつかに分類するための尺度。名義尺度は単なる符号であり，他との区別を示す。四則演算は意味を持たない	例）性別，出身地，血液型	カテゴリーデータ
順序尺度	測定対象を順序性のあるいくつかのカテゴリーに分類するための尺度。順序の間隔が均等であるかの保証がなく，順序に意味はあるが間隔に意味はない。四則演算は意味を持たない	例）MMT 0〜5，ブルンストロームステージⅠ-Ⅵ，がんの病期Ⅰ-Ⅳ	
間隔尺度	測定対象が等間隔に並ぶ数値を表す尺度。数値の等価性が保証されているので，順序関係を示すだけでなく，測定値間の差が同じ意味をもつ。順序尺度と異なり差には意味があるが，尺度の原点（0）が任意に決められているため，比には意味がない	例）体温，気温	数量データ
比尺度	測定対象が等間隔に並ぶ数値で絶対的な原点（0）がある数値を意味する。四則演算が可能	例）握力，歩行速度，血圧	

COLUMN　間隔尺度と比尺度の違い

　間隔尺度は尺度の原点（0）が任意に決められているため，比には意味がない。温度の場合，20℃と30℃の温度差は10℃であり，同様に10℃と0℃の間の温度差も10℃である。しかし，0℃は水が凍る温度として便宜上決めた原点（任意に決めた原点）であり，絶対的なゼロを示すわけではない。大小関係や差を示すことはできるが，絶対的な意味は持っていない。

　一方で，比尺度は絶対的なゼロを持つ尺度である。例えば，長さの比尺度で0 cmは長さがないことを示し，2 cmは1 cmの2倍（比率は2:1）を示す。この場合，0は絶対的なゼロであり，大小関係や比率を正確に測定できる。比尺度は絶対的な0が存在するため，大小関係や比率を正確に測定することができる。

3 正規分布と非正規分布
normal distribution　Non-Normal Distribution

正規分布と非正規分布は，データの分布を表す重要な概念である。<mark>ヒストグラム</mark>は，<mark>データの分布を可視化</mark>する代表的なグラフである（図2）。ヒストグラムを作成することで，データの分布の姿，平均値の大体の位置，データのばらつきの状況などを視覚的に確認することができる。実際の統計解析は，得られたデータがどのような分布に従っているかによって統計手法や解釈方法を選択する。

● 正規分布（図2a）

正規分布は，その形状は左右対称で鐘型を示す。正規分布は平均と標準偏差によって特徴づけられる。

● 非正規分布（図2b）

非正規分布は，正規分布以外のあらゆるデータ分布を指し，それぞれ異なる特徴を持つ。非正規分布の特徴は，対称性，尖度，左右の歪度，データの数によって異なる。

図2　正規分布と非正規分布のヒストグラム

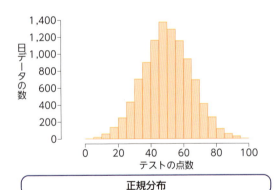

正規分布

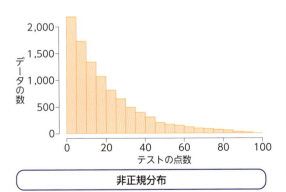

非正規分布

4 統計学的検定

2つの群から推定される2つの母平均に差があるかを統計学的に検定することは，理学療法分野の研究でもよく行われる。

母平均の差の検定は，まず<mark>帰無仮説</mark>を設定することから始まる。帰無仮説とは，通常「群間の何々（例えば母平均）には差がない」と表現する。帰無仮説を設定した場合，必然的に対立する仮説が設定されることになり，これを<mark>対立仮説</mark>と呼ぶ。対立仮説は，「群間の何々（例えば母平均）には差がある」「群間の何々には差がないとは言えない」と表現する。

<mark>統計学的検定では，帰無仮説と対立仮説のどちらか一方を採用することになる</mark>。例として，「ある新しい理学療法の効果を評価する研究」を考える。

● 帰無仮説

帰無仮説は，通常，治療効果がない，または標準治療と同等であるという前提を表す。この場合，帰無仮説は「新しい理学療法は標準治療と同様の効果しか持たない」を示す。

● 対立仮説

対立仮説は，帰無仮説が成立しない場合の仮説を表す。つまり，新しい理学療法が標準治療と異なる効果を持っているという主張である。

この場合，帰無仮説は新しい理学療法と標準治療の効果が同等であるという仮説を表し，対立仮説は新しい理学療法が異なる効果を持つ可能性を示している。研究データを分析し，帰無仮説が棄却され，対立仮説が支持されるかどうかを検証することで新しい理学療法の効果に関する結論を導くことができる。

5 誤差の種類

● 測定誤差

測定誤差は，<mark>測定や観測において発生する不確かさ</mark>を指す。これは，測定器具や測定者，または測定対象によって引き起こされることがある。

例：理学療法士が患者の関節可動域を測定する場合，使用するゴニオメーターや測定技術の正確性に関する誤差が発生する可能性がある。また，患者の協力度や疼痛なども測定誤差に影響を及ぼす要因である。

● 系統誤差

系統誤差は，測定値が真の値から一定の方向にずれる誤差を示す。系統誤差は一貫して同じ方向に偏りを生じるため，統計的な方法では補正することが困難である。

例：理学療法士がある疾患の患者10名を評価する際に，特定の測定器具を使用し，その器具に微細な調整不良が生じていた場合，その測定結果は常に過大または過小に偏る可能性がある。

理学療法では，測定誤差を最小化し，系統誤差を特定し補正することが重要である。理学療法士は適切な測定器具の選択，適切な技術の習得，および系統誤差の影響を考慮した評価を行うことが求められる。

6 第1種・2種の過誤

第1種と第2種の過誤は，統計的な判断や決定を行う際に誤った結論を導く可能性に関する概念である。

第1種の過誤 (type I error)	帰無仮説が真に正しいにもかかわらず，対立仮説を採用してしまう過誤のこと。危険率をαで表す
第2種の過誤 (type II error)	対立仮説が真に正しいにもかかわらず，帰無仮説を受け入れてしまう過誤のこと。その確率をβと表現するが，1-βを検出力 (power) という

● 第1種の過誤 (type I error)

第1種の過誤は，真の仮説が誤って棄却される誤りを示す。具体的には，統計的検定を行い，実際には帰無仮説が真であるにもかかわらず，帰無仮説を誤って棄却してしまうことを指す。第1種の過誤は，通常，有意水準（通常はαと表される）を設定することに関連しており，αを小さくすると第1種の過誤が起こりにくくなる。一方で，代わりに第2種の過誤の発生率が高まる可能性が生じる。

● 第2種の過誤 (type II error)

第2種の過誤は，真の仮説が受容されるべき場合に，誤って帰無仮説を受容してしまう誤りを示す。第2種の過誤の確率は通常βで表され，統計的パワー (statistical power) と密接に関連している。統計的パワーは，帰無仮説が誤って受容されない確率を示す尺度であり，統計的パワーを高めることで，第2種の過誤の確率を低減することができる。

適切な統計的検定を行う際には，第1種と第2種の過誤をバランスよく管理する必要がある。有意水準（α）を適切に選択し，統計的パワーを高めることによって誤った結論を導くリスクを最小限に抑えつつ，真実に基づいた結論を得る努力が必要となる。

アクティブラーニングのヒント

一般社団法人 日本理学療法学会連合のホームページ「EBPT」用語集で，実際の理学療法で必要なエビデンス関連用語，研究法関連用語，統計解析関連用語，統計関連用語を確認してみよう。
https://www.jspt.or.jp/ebpt_glossary/

7 主な統計手法

● 正規分布の確認（正規性の検定）

・シャピロ・ウィルク検定：p値が0.05未満ならば正規分布していないと解釈。

● 2つの群のデータの差

握力 A群 30名	握力 B群 25名

◎正規分布：ルービン検定で等分散性の仮定を確認
　・仮定できる（p≧0.05）：2標本t検定（対応のないt検定）
　・仮定できない（p＜0.05）：ウェルチの検定
◎少なくとも1方が非正規分布：マン・ホイットニーのU検定
※いずれもp＜0.05の場合に有意差ありと解釈。

●1つの群の2つのデータの差

| 握力
A群
30名
開始時 | 握力
A群
30名
3カ月後 |

◎正規分布：**対応のあるt検定**
◎少なくとも1方が非正規分布：**ウィルコクソンの符号付順位検定**
※いずれも$p<0.05$の場合に有意差ありと解釈。

●3つ以上の群のデータの差

| 握力
A群
30名 | 握力
B群
25名 | 握力
C群
35名 |

◎正規分布：ルービン検定で等分散性の仮定を確認
　・仮定できる（$p≧0.05$）：**一元配置分散分析**
　・仮定できない（$p<0.05$）：ゲームス・ハウエルの方法など
◎少なくとも1群が非正規分布：**クラスカル・ウォリス検定**
※いずれも$p<0.05$の場合に有意差（主効果）ありと解釈。

●1つの群の3つ以上のデータの差

| 握力
A群
30名
開始時 | 握力
A群
30名
3カ月後 | 握力
A群
30名
6カ月後 |

◎正規分布：モークリーの球形検定で球形性の仮定を確認
　・仮定できる（$p≧0.05$）：**反復測定分散分析**
　・仮定できない（$p<0.05$）：イプシロン（ε）修正による反復測定分散分析
◎少なくとも1群が非正規分布：**フリードマン検定**
※いずれも$p<0.05$の場合に有意差（主効果）ありと解釈。

●2つ以上の群の2つ以上のデータの差

| 握力
A群
30名
開始時 | 握力
A群
30名
3カ月後 | 握力
A群
30名
6カ月後 |

| 握力
B群
25名
開始時 | 握力
B群
25名
3カ月後 | 握力
B群
25名
6カ月後 |

◎**二元配置分散分析**：「A群とB群の差」と「開始時，3カ月後，6カ月後の差」の2つの要因を同時に検討できる。
◎群と時期のそれぞれ単独の効果（要因内の差）である主効果，および群と時期を合わせた効果（相乗効果。相殺効果）である交互作用も検討できる。

●2つのデータ間の関連（相関）

| 握力
A群
30名 | 背筋力
A群
30名 |

◎正規分布：**ピアソンの相関係数**（ピアソンの積率相関係数）
◎少なくとも1方が非正規分布：**スピアマンの順位相関係数**
※いずれも$p<0.05$の場合に有意な相関ありと解釈。しかし，係数（$0≦$係数$≦1$）の大きさも重要。

● 値の予測（予測に用いるデータが1種）

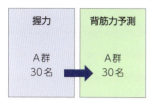

求める値：従属変数または目的変数，
予測に用いる値：独立変数または説明変数
◎独立変数が1つ：**単回帰分析**
※直線関係 y＝a＋bx の形の式を作成できる。
※R^2（決定係数）が求めた回帰式の精度を表す。

● 値の予測（予測に用いるデータが2種以上）

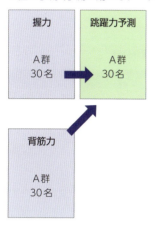

求める値：従属変数または目的変数，
予測に用いる値：独立変数または説明変数
◎独立変数が2つ以上：**重回帰分析**
※$y = a + b_1 x_1 + b_2 x^2$ の形の式を作成できる。
※R^2（決定係数）が求めた回帰式の精度を表す。

● 名義尺度のデータ間の関連

	合格	不合格
予習あり	40	10
予習なし	15	30

◎分割表（上表）の両要因の関連：χ^2 独立性の検定
◎値が小さい場合：フィッシャーの直接法
※いずれも p＜0.05 の場合に有意な関連ありと解釈。

COLUMN

- 検定に関して，「パラメトリック検定とノンパラメトリック検定」という用語がしばしば用いられる。
- パラメトリック検定は母集団のデータが正規分布していると仮定して，平均値や分散などのパラメータ（母集団の特性を表す値）を使う。本文中に正規分布と記載した検定などが該当する。
- ノンパラメトリック検定は母集団の分布は正規分布する必要がなく，平均値や分散などのパラメータは使用しない検定であり，本文中に正規分布と記載していない検定などが該当する。正規分布しているデータでも使用でき，等分散が仮定できない，外れ値があるなどには有用であるが，第2種の過誤が生じやすいことに注意が必要である。

感度・特異度

POINT

- ✓ 感度と特異度①は，**検査や評価方法の性能を評価するための指標**である。

- ✓ 感度とは，疾患を有する患者のうち検査で正しく陽性（異常）と出る（真陽性）割合のことで，見落としの少なさを表す。特異度は，疾患のない人のうち，検査で正しく陰性（正常）と出る人の割合で，過剰診断の少なさを表す。

- ✓ 高い感度と特異度は，検査が疾患を正確に診断し，疾患を有さない人を正しく否定することを示している。両者は必ずトレードオフの関係を示し，感度と特異度の適切なバランスは評価や検査の精度を向上させる。

1 感度・特異度 (sensitivity / specificity)

　感度と特異度は，理学療法や医療診断などの健康関連分野で使用される統計的な尺度で，検査や評価方法の性能を評価するための指標である。感度とは，**疾患を有する患者のうち，検査で正しく陽性（異常）と出る（真陽性）割合**のことで，**見落としの少なさ**を表す。
　一方で，特異度は**疾患のない人のうち，検査で正しく陰性（正常）と出る人の割合**で，**過剰診断の少なさ**を表す。感度と特異度は，検査や評価によって得られた下記の指標をもとに算出される（図1，表1）。

図1　検査や評価結果の振り分け

	疾患Aあり	疾患Bなし
検査X陽性	90 真陽性 (a)	5 偽陽性 (c)
検査X陰性	10 偽陰性 (b)	95 真陰性 (d)

◎感度の計算

　感度は，疾患Aが実際に存在する患者（真陽性）に対する評価Xの正確性を示す。表1の例では，下記の通りとなる。

感度 ＝ （真陽性）／（真陽性＋偽陰性） ＝ 90／(90＋10)
　　 ＝ 0.9（90％）

図1　検査や評価結果の振り分け

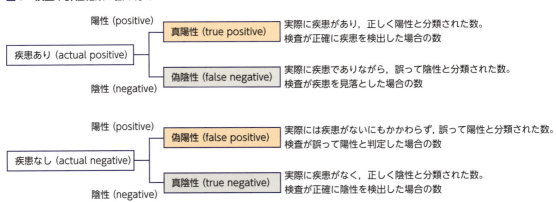

◎特異度の計算

特異度は疾患Aが存在しない患者（真陰性）に対する評価Xの正確性を示す。表1の例では，下記の通りとなる。

特異度＝（真陰性）/（真陰性＋偽陽性）＝95/（95＋5）
　　　＝0.95（95%）

この例では，評価Xの感度は90%で特異度は95%である。高い感度と特異度は，テストが疾患を正確に診断し，疾患を有さない人を正しく否定することを示している。理想的には，感度・特異度ともに100%であることが望ましいが，現実的にはそのような検査は存在せず，両者は必ずトレードオフの関係を示す（図2）。感度と特異度の適切なバランスは，評価やテストの精度を向上させ，患者の適切な治療を確保するのに役立つ。

図2　感度と特異度の関係（ROC曲線）

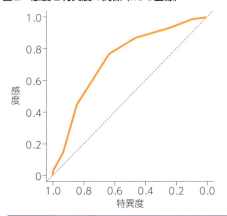

感度と特異度は，一方が上がれば一方が下がるトレードオフの関係を示す

2 尤度比 (Likelihood ratio)

尤度比は，**感度と特異度を一つにまとめた指標**である。患者を検査した場合に，健常者に比べてどのくらい陽性結果が出やすいかを表す指標であり，陽性尤度比と陰性尤度比がある。

● 陽性尤度比

陽性尤度比は，テストが陽性結果を示す場合の尤度比を示す。これは，疾患Aが存在する場合に評価Xが陽性結果を示す確率を，疾患Aが存在しない場合に評価Xが陽性結果を示す確率で割った値である。

表1の例では，下記の通りとなる。

陽性尤度比＝感度/（1－特異度）
　　　　　＝0.9/（1－0.95）＝18

● 陰性尤度比

陰性尤度比は，テストが陰性結果を示す場合の尤度比を示す。これは，疾患Aが存在しない場合に評価Xが陰性結果を示す確率を，疾患Aが存在する場合に評価Xが陰性結果を示す確率で割った値である。

表1の例では，下記の通りとなる。

陰性尤度比＝（1－感度）/特異度
　　　　　＝（1－0.9）/0.95＝0.1

● 陽性的中率（positive predictive value）

陽性的中率は，あるテストや診断方法が陽性結果を示した場合，その結果が実際に正しい陽性である確率を示す指標である。

表1の例では，下記の通りとなる。

陽性的中率＝真陽性/（真陽性＋偽陽性）
　　　　　＝90/（90＋5）＝0.947（または94.7%）

陽性的中率は約0.947，または94.7%であり，評価Xが陽性結果を示した場合，その結果が実際に正しい陽性である確率を示している。

COLUMN　スクリーニング検査の意義

感度や特異度は主にスクリーニング検査の指標として用いられる。スクリーニング検査を行う前に，その検査の感度と特異度を把握し，見落としや過剰診断がどれくらい生じるのかを確認する必要がある。スクリーニング検査の目的は，疾患の早期発見と早期治療を行うことである。見落としによる不利益や過剰診断による患者への苦痛などを最大限に考慮したスクリーニングを行う必要がある。

COLUMN

感度，特異度，陽性尤度比のほか，表1の数値から以下の値を求めることもある。

陽性的中率	a/（a＋c）
陰性的中率	d/（b＋d）
リスク比	[a/（a＋c）] / [b/（b＋d）]
偽陰性率	b/（a＋b）
偽陽性率	c/（c＋d）
正診率	(a＋d) /（a＋b＋c＋d）

11章 理学療法に関わる法令・制度

理学療法士及び作業療法士法・言語聴覚士法

POINT

- ✓ 「理学療法士及び作業療法士法❶」は**1965(昭和40)年**6月29日に交付された(法律第137号)。
- ✓ 法律の施行にあたり,その内容をさらに具体化し,より実効性を確保するために「理学療法士及び作業療法士法施行令」(1965年10月1日,政令第327号)が制定された。
- ✓ **言語聴覚士法❷**は,「理学療法士及び作業療法士法」より30年以上遅く,1997年に公布された(法律第132号)。

1 理学療法士及び作業療法士法

理学療法士及び作業療法士法では,次のように定義している。なお,付録に全文を掲載している(p.142参照)。

第一章 総則
(この法律の目的)
第一条 この法律は,理学療法士及び作業療法士の資格を定めるとともに,その業務が,適性に運用されるように規律し,もって医療の普及及び向上に寄与することを目的とする。

(定義)
第二条
2 この法律で「理学療法」とは,**身体に障害のある者**に対し,主としてその**基本的動作能力の回復を図るため**,**治療体操その他の運動を行わせ**,及び**電気刺激**,**マッサージ**,**温熱その他の物理的手段**を加えることをいう。
3 この法律で「理学療法士」とは,**厚生労働大臣の免許を受けて**,理学療法士の名称を用いて,**医師の指導の下**に,理学療法を行うことを**業とする**ものをいう。

(欠格事由)
第四条 次の各号のいずれかに該当する者には,**免許を与えないことがある。**
一 罰金以上の刑に処せられた者
二 前号に該当する者を除くほか,理学療法士又は作業療法士の業務に関し犯罪又は不正の行為があった者
三 心身の障害により理学療法士又は作業療法士の業務を適正に行うことができない者として厚生労働省令で定めるもの
四 **麻薬,大麻又はあへんの中毒者**

(秘密を守る義務)
第十六条 理学療法士又は作業療法士は,正当な理由がある場合を除き,その**業務上知り得た人の秘密を他に漏らしてはならない。理学療法士又は作業療法士でなくなった後においても,同様**とする。

1:目的

2:対象:日本理学療法士協会では,「ケガや病気などで身体に障害のある人や障害の発生が予測される人」としている。健常高齢者や妊婦に対する理学療法,ケガや病気の予防も対象となり得る。

3:基本的動作能力:寝返り,起き上がり,座る,立つ,歩くなどの日常生活で必要な動作。車いす動作,杖や装具を用いた歩行なども含める。

4:「治療体操その他の運動」として運動を,「物理的手段」として電気刺激,マッサージ,温熱,寒冷,水などを治療手段として用いる。

5:厚生労働大臣の免許を受けた者のみが「理学療法士」の名称を用いることができる(**名称独占**)。医師や弁護士,建築士などは**業務独占**であり,資格がなければその業務は行えない。

6:医師の処方に従って理学療法を行う。理学療法士は医師の指導の下でなければ,理学療法を行ってはならない。

2 言語聴覚士法

言語聴覚士について定めた言語聴覚士法は，平成9（1997）年に施行された（法律第132号）。

理学療法士・作業療法士と同じく，名称独占である。

（業務）
第四十二条　言語聴覚士は，保健師助産師看護師法（昭和二十三年法律第二百三号）第三十一条第一項及び第三十二条の規定にかかわらず，診療の補助として，==医師又は歯科医師の指示の下に==，嚥下訓練，人工内耳の調整その他厚生労働省令で定める行為を行うことを業とすることができる。

（連携等）
第四十三条　言語聴覚士は，その業務を行うに当たっては，医師，歯科医師その他の医療関係者との緊密な連携を図り，適正な医療の確保に努めなければならない。
2　言語聴覚士は，その業務を行うに当たって，音声機能，言語機能又は聴覚に障害のある者に主治の医師又は歯科医師があるときは，その指導を受けなければならない。
3　言語聴覚士は，その業務を行うに当たっては，音声機能，言語機能又は聴覚に障害のある者の福祉に関する業務を行う者その他の関係者との連携を保たなければならない。

他職種との連携の必要性がうたわれている（**他職種連携**，**チーム医療**）

アクティブラーニングのヒント
▶ 公益社団法人 日本理学療法士協会のホームページの「理学療法士を知る」を見てみよう。
https://www.japanpt.or.jp/about_pt/

アクティブラーニングのヒント
▶ 巻末の「理学療法士および作業療法士法」の全文に目を通してみよう。

COLUMN

- 法律用語の「業」とは，その行為を「反復継続」して行うことをいう。一度きりの行為であれば「業」にはあたらない。
- 罰金とは刑法上の刑罰であり財産刑の1つである。駐車違反やスピード違反等の道路交通法上の比較的軽い交通違反行為（反則行為）に課せられるのは「反則金」であり罰金にはあたらない。
- 理学療法士は「理学療法士」という名称を独占しているのであって，理学療法の業務を独占しているのではない。したがって，「理学療法士」と名乗らなければ，免許を受けていなくても理学療法を行うことができることになる。しかし，第17条には==「理学療法士でない者は，理学療法士という名称又は機能療法士その他理学療法士に紛らわしい名称を使用してはならない」==とあり，「理学療法士」に類似する名称も使用できなくなっている。

11章 理学療法に関わる法令・制度

医療保険・診療報酬

POINT

- ✓ わが国では、**医療保険制度❶**により国民全員を公的医療保険で保障している(**国民皆保険制度**)。
- ✓ **診療報酬❷**とは病院や診療所、薬局などが患者に対して行った医療行為に対する対価である。診療報酬制度の管轄は**厚生労働省**であり、診療報酬の改訂は、原則2年に1度行われる。
- ✓ 保険診療の範囲や内容、保健サービスの価格は**中央社会保険医療協議会(中医協)**の答申によって定められる。
- ✓ 保険医療機関などからの診療報酬の請求は、**審査支払機関**で審査され**医療保険者**に請求される。
- ✓ 診療報酬は、医療保険者からの支払いと患者の**一部負担金**からなる。
- ✓ すべての医療行為、医療サービスは**単位・点数❸**が定められており、**1点10円**で計算される。

1 日本の医療保険制度

日本の医療保険制度は、健康保険、船員保険、共済組合、国民健康保険、および高齢者医療に分類される(**表1**)。日本は国民皆保険制度であり、日本国民であればいずれかの医療保険に加入する。

医療行為、医療サービスに要した医療費は、患者の一部負担金と医療保険者からの支払いで充当される[1] (**図1**)。一部負担金の割合は、年齢、所得によって異なる[2] (**表2**)。

1) 厚生労働省: 我が国の医療保険について. (https://www.mhlw.go.jp/content/12400000/000913109.pdf) 2023年11月閲覧
2) 厚生労働省: 医療費の一部負担(自己負担)割合について. (https://www.mhlw.go.jp/content/000937919.pdf) 2023年11月閲覧

表1 医療保険制度の体系

区分	制度	保険者	被保険者
医療保険	健康保険	全国健康保険協会	健康保険の適用事業所で働く人
	船員保険	全国健康保険協会	船員として船舶所有者に使用される人
	共済組合	各種共済組合	国家公務員、地方公務員、私学の教職員
	国民健康保険	市(区)町村	健康保険・船員保険・共済組合等に加入している勤労者以外の一般住民
高齢者医療	後期高齢者医療制度	後期高齢者医療広域連合	75歳以上、および65歳〜74歳で連合より「一定の障害の状態」の認定を受けた人

図1 保険診療の流れ

保険診療における全体の流れについては、右のフローチャートのとおり。

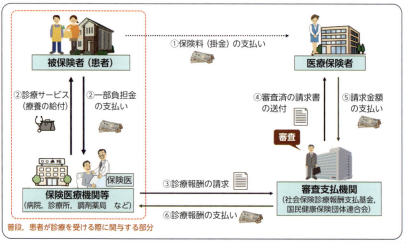

文献1)より引用

表2　医療費の一部負担（自己負担）割合

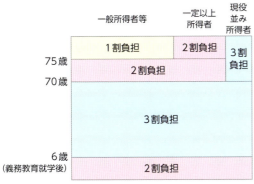

- 75歳以上の者は，1割（現役並み所得者は3割，現役並み所得者以外の一定所得以上の者は2割）
- 70歳から74歳までの者は，2割（現役並み所得者は3割）
- 70歳未満の者は3割
- 6歳未満（義務教育就学前）の者は2割

文献2）より引用

2 疾患別リハビリテーションの診療報酬

疾患別リハビリテーションに関わる診療報酬は，疾患別，施設基準別に設定されている[3]（**表3**）。

疾患別リハビリテーションは，「脳血管疾患等リハビリテーション」「廃用性症候群リハビリテーション」「運動器リハビリテーション」「心大血管疾患リハビリテーション」「呼吸器リハビリテーション」に分類される。

施設基準はⅠ～Ⅲに分類される。詳しくは次項参照。

3）厚生労働省：令和4年度診療報酬改定の概要．（https://www.mhlw.go.jp/stf/seisakunitsuite/bunya/0000196352_00008.html）2023年11月閲覧

3 リハビリテーションの単位・点数

20分の理学療法を1単位として，1単位あたりの診療報酬（点数）が決められており，1人の理学療法士が算定できる単位の最大は，24単位/日，108単位/週と定められている。理学療法，作業療法，言語聴覚療法とも同じ点数で，1人の理学療法士，作業療法士，言語聴覚士が算定できる単位の最大も同じである。

1人の患者に1日に算定できる単位には，発症からの日数，入院病棟の種類によって制限がある。

アクティブラーニングのヒント

▶ 厚生労働省のホームページから医療保険の詳細（文献1）を参照してみよう。

▶ 同じく，診療報酬改定の概要（文献3）も参照してみよう。

医療保険の詳細[1]	診療報酬改定の概要[3]

表3　疾患別リハビリテーション料

項目名	点数	実施時間	標準的算定日数	対象疾患（抜粋）
心大血管疾患リハビリテーション料	施設基準（Ⅰ）205点 施設基準（Ⅱ）125点	1単位20分	150日	急性心筋梗塞，狭心症，開心術後，大血管疾患，慢性心不全で左室駆出率40%以下　など
脳血管疾患等リハビリテーション料	施設基準（Ⅰ）245点 施設基準（Ⅱ）200点 施設基準（Ⅲ）100点	1単位20分	180日	脳梗塞，脳腫瘍，脊髄損傷，パーキンソン病，高次脳機能障害　など
廃用症候群リハビリテーション料	施設基準（Ⅰ）180点 施設基準（Ⅱ）146点 施設基準（Ⅲ）77点	1単位20分	120日	急性疾患等に伴う安静による廃用症候群
運動器リハビリテーション料	施設基準（Ⅰ）185点 施設基準（Ⅱ）170点 施設基準（Ⅲ）85点	1単位20分	150日	上・下肢の複合損傷，脊椎損傷による四肢麻痺，運動器の悪性腫瘍　など
呼吸器リハビリテーション料	施設基準（Ⅰ）175点 施設基準（Ⅱ）85点	1単位20分	90日	肺炎・無気肺，肺腫瘍，肺塞栓，慢性閉塞性肺疾患であって重症度分類Ⅱ以上の状態　など

文献3）をもとに作成，2023年現在

施設基準

POINT

- ✔ 診療報酬の算定には，それぞれ算定可能な**施設基準**❶が定められている。
- ✔ リハビリテーションには疾患別リハビリテーション料があり，施設基準によって診療報酬が定められている。
- ✔ 疾患別リハビリテーション料の施設基準は「医師の人数と勤務体系」「リハビリテーション関連職の人数と勤務体系」「施設内でのリハビリテーションの専有面積」「機械・器具具備」により分類される。

1 施設基準

　リハビリテーションに関わる診療報酬は，疾患別に定められていることに加え，施設（病院，診療所）における医師や療法士（理学療法士，作業療法士，言語聴覚士）の勤務形態と人数，リハビリテーションの専有面積，および器械・器具具備の基準（施設基準）が定められている[1]（図1，表1）。

1) 厚生労働省：令和4年度診療報酬改定の概要. (https://www.mhlw.go.jp/stf/seisakunitsuite/bunya/0000196352_00008.html) 2023年11月閲覧

図1　リハビリテーション室

表1 疾患別リハビリテーション料の施設基準

項目名	心大血管疾患リハビリテーション料	
	（Ⅰ）	（Ⅱ）
医師[*1]	循環器科または心臓血管外科の医師が実施時間帯に常時勤務専任常勤1名以上	実施時間帯に左記の医師および経験を有する医師（いずれも非常勤を含む）1名以上勤務
療法士全体	－	
理学療法士(PT[*2])	専従常勤PTおよび専従常勤看護師合わせて2名以上など	専従のPTまたは看護師いずれか1名以上
作業療法士(OT[*2])	必要に応じて配置	
言語聴覚士(ST[*2,3])	－	
専有面積(内法による)	病院30m²以上，診療所20m²以上	
器械・器具具備	要	

項目名	運動器リハビリテーション料		
	（Ⅰ）	（Ⅱ）	（Ⅲ）
医師[*1]	専任常勤1名以上		
療法士全体	専従常勤PTまたは専従常勤OT合わせて4名以上	専従常勤PT2名または専従常勤OT2名以上あるいは専従常勤PTおよび専従常勤OT合わせて2名以上	専従常勤PTまたは専従常勤OT1名以上
理学療法士(PT[*2])			
作業療法士(OT[*2])			
言語聴覚士(ST[*2,3])	（－）		
専有面積(内法による)	病院100m²以上，診療所45m²以上		45m²以上
器械・器具具備	要		

項目名	脳血管疾患等リハビリテーション料		
	（Ⅰ）	（Ⅱ）	（Ⅲ）
医師[*1]	専任常勤2名以上[*4]	専任常勤1名以上	
療法士全体	専従従事者合計10名以上[*4]	専従従事者合計4名以上[*4]	専従の常勤PT，常勤OTまたは常勤STのいずれか1名以上
理学療法士(PT[*2])	専従常勤PT5名以上[*4]	専従常勤PT1名以上	
作業療法士(OT[*2])	専従常勤OT3名以上[*4]	専従常勤OT1名以上	
言語聴覚士(ST[*2,3])	（言語聴覚療法を行う場合）専従常勤ST1名以上[*4]		
専有面積(内法による)	160m²以上[*4]	病院100m²以上，診療所45m²以上	
	（言語聴覚療法を行う場合）専用室（8m²以上）1室以上		
器械・器具具備	要		

項目名	呼吸器リハビリテーション料	
	（Ⅰ）	（Ⅱ）
医師[*1]	専任常勤1名以上	
療法士全体	専従常勤PT1名を含む常勤PT，常勤OTまたは常勤ST合わせて2名以上	専従常勤PT，専従常勤OTまたは上記ST1名以上
理学療法士(PT[*2])		
作業療法士(OT[*2])		
言語聴覚士(ST[*2,3])		
専有面積(内法による)	病院100m²以上，診療所45m²以上	45m²以上
器械・器具具備	要	

項目名	廃用症候群リハビリテーション料
	（Ⅰ）～（Ⅲ）
医師[*1]	脳血管疾患等リハビリテーション料に準じる
療法士全体	
理学療法士(PT[*2])	
作業療法士(OT[*2])	
言語聴覚士(ST[*2,3])	
専有面積(内法による)	
器械・器具具備	

[*1] 常勤医師は，週3日以上かつ週22時間以上の勤務を行っている複数の非常勤医師を組み合わせた常勤換算でも配置可能

[*2] 常勤PT・常勤OT・常勤STは，週3日以上かつ週22時間以上の勤務を行っている複数の非常勤職員を組み合わせた常勤換算でも配置可能（ただし，2名以上の常勤職員が要件のものについて，常勤職員が配置されていることとみなすことができるのは，一定の人数まで）

[*3] 言語聴覚士については，各項目で兼任可能

[*4] 脳血管疾患等リハビリテーション料（Ⅰ）において，言語聴覚療法のみを実施する場合は，上記規定によらず，以下を満たす場合に算定可能
○医師：専任常勤1名以上　○専従常勤ST3名以上（[*2]の適用あり）　○専用室および器械・器具の具備あり
また，脳血管疾患等リハビリテーション料（Ⅱ）について，言語聴覚療法のみを実施する場合，以下を満たす場合に算定可能
○医師：専任常勤1名以上　○専従常勤ST2名以上（[*2]の適用あり）　○専用室および器械・器具の具備あり

文献1）をもとに作成

11章 理学療法に関わる法令・制度

地域包括ケアシステム，介護保険

POINT

- ✓ 地域包括ケアシステム❶とは，高齢者が住み慣れた地域で自分らしい暮らしを人生の最後まで続けることができるように，住まい・医療・介護・予防・生活支援を行うものである。
- ✓ 高齢化の進展や介護期間の長期化など社会情勢の変化に応じて，高齢者や家族が抱える介護の不安と負担を社会全体で支えあう介護保険制度❷として，介護保険法が2000年に施行された。
- ✓ 介護保険サービス❸には介護給付と予防給付があり，地域支援事業❹，住宅改修❺，福祉用具❻などを含め，包括的に必要な支援を行っていく。
- ✓ 介護保険サービスも診療報酬と同様に各サービスの介護報酬❼が決められており，3年ごとに見直される。

❶ 地域包括ケアシステム

重度な要介護状態となっても住み慣れた地域で自分らしい暮らしを人生の最後まで続けることができるように，医療・介護・予防サービスと，その前提となる住まい・生活支援を包括的に確保する必要がある。

現在の高齢者人口は，人口が横ばいで75歳人口が急増していく都市部と75歳人口の増加は穏やかだが人口が減少していく町村部と地域により状況が異なるため，地域の現状に合わせた支援が必要となるため「地域包括ケアシステム」が必要となる。

● 地域包括ケアシステムの構築（図1）

保険者である市町村や都道府県が，地域の自主性や主体性に基づき，地域の特性に応じて作り上げていくことが必要。想定する地域とは，おおむね30分以内に必要なサービスが提供される日常生活圏域（具体的には中学校区）。

◎ 自助・共助・互助・公助（図2）

都市部では，強い「互助」を期待することが難しい一方，民間サービス市場が大きく「自助」によるサービス購入が可能。都市部以外の地域は，民間市場が限定的だが「互助」の役割が大となる。

少子高齢化や財政状況から，「共助」「公助」の大幅な拡充を期待することは難しく，「自助」「互助」の果たす役割が大きくなることを意識した取組が必要である。

● 包括的支援事業

◎ 地域包括支援センター（図3）の運営

地域の高齢者に関する総合窓口であり，市町村が設置（委託を含む）。

図1　地域包括ケアシステム

- 医療：医療保険の利用
  - 病院
  - かかりつけ医
  - 歯科医療
  - 薬局
- 住まい：環境整備
  - 自宅
  - サービス付き高齢者向け住宅　など
- 介護：介護保険サービスの利用
  - 施設系サービス
  - 居宅系サービス
  - 介護予防サービス
- 地域包括支援センター
  - 相談業務
  - サービスのコーディネート
- 生活支援・介護予防：地域住民の取り組み
  - 老人クラブ
  - 自治会
  - ボランティア
  - NPO　など

（通院・入院／訪問診療・往診／通所・入所／訪問／参加）

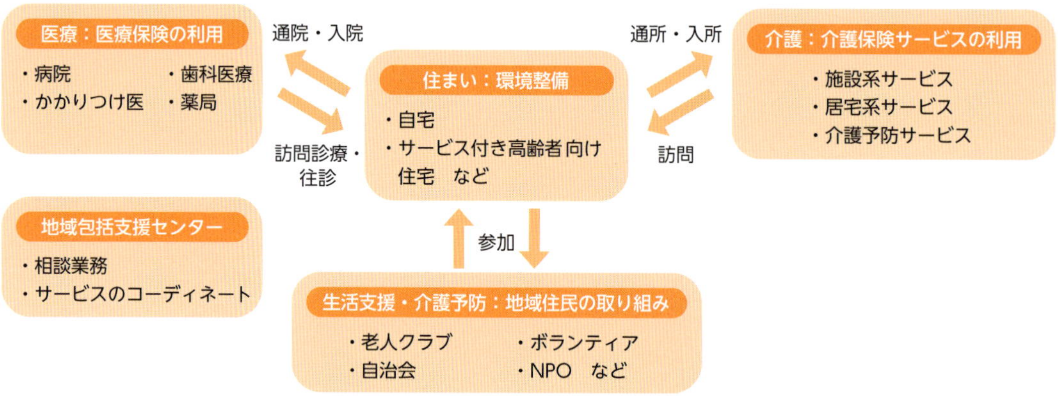

図2 自助・共助・互助・公助

- 自助
  - 自分のことは自分でする
  - 自らの健康管理(セルフケア)
  - 市場サービスの購入
- 互助
  - 当事者団体による取り組み
  - 高齢者によるボランティア
  - 生きがい就労
- 互助
  - ボランティア活動
  - 地域住民の取組み
- 共助
  - 介護保険に代表される社会保険制度およびサービス
- 公助
  - ボランティア
  - 住民組織の活動へ公的支援
  - 自助・互助・共助では対応できないことに、税による負担で行う社会福祉制度
  - 一般財源による高齢者福祉事業等
  - 生活保護・人権擁護・虐待対策

図3 地域包括支援センター

地域包括支援センター
保健師・社会福祉士
主任ケアマネジャー

- 総合相談・支援業務
  - 高齢者の親の生活に対する不安の相談
  - 近所の高齢者が心配などの相談
  - 必要なサービスや制度を紹介
- 権利擁護業務
  - 成年後見制度の利用
  - 高齢者虐待への対応
- 包括的・継続的マネジメント支援業務
  - 「地域ケア会議」にて個別ケースと地域課題の検討を行う
  - ケアマネジャーへの指導・相談、支援困難事例への指導
- 介護予防ケアマネジメント
  - 介護保険の申請の相談
  - 介護予防ケアプランの作成(二次予防事業対象者)

業務	医療、福祉、介護、虐待など高齢者とその家族に関する総合的な相談や支援を行う
職員	保健師、社会福祉士、主任ケアマネジャーなどが配置されている

◎その他
在宅医療と介護連携推進、認知症総合支援など。

2 介護保険

高齢化の進展に伴い、要介護高齢者の増加、介護期間の長期化が生じた。核家族化の進行や介護離職問題などにより、高齢者や家族が抱える介護の不安と負担を社会全体で支えあう仕組みが必要となり、2000年、「利用者本位」「利用者の選択の尊重」「自立支援」を基本理念とする介護保険法が施行された。

● 介護保険制度の仕組み(図4)

介護保険の被保険者は、65歳以上の方(**第1号被保険者**)と、40〜64歳までの医療保険加入者(**第2号被保険者**)に分けられる。

第1号被保険者は、原因を問わずに要介護認定または要支援認定を受けたときに介護サービスを受けることができ、第2号被保険者は加齢に伴う疾病(**特定疾病**)が原因で**要介護(要支援)認定**を受けたときに介護サービスを受けることができる(図5、表1)。

介護保険制度の基本的目標

高齢者の自立支援	高齢者がその能力に応じて自立した質の高い生活が送れる
在宅ケアの推進	できるだけ住み慣れた家庭や地域での生活が継続できる
予防とリハビリテーションの重視	高齢者ができるだけ要介護状態とならない
利用者本位のサービスの提供	利用者の望んでいる生活が実現できる
高齢者自身による選択	利用者本位の制度として自らサービスを選ぶ
効率的で良質なサービスの提供	効果的で良質なサービスが提供されるように、民間事業者の参入を促す
社会保険方式	給付と負担が明確な社会保険方式を採用している

図4 介護保険制度の仕組み

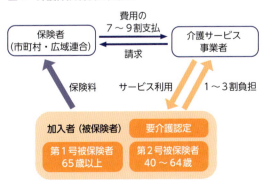

特定疾病

1	がん（医師が一般に認められている医学的知見に基づき，回復の見込みがない状態に至ったと判断したものに限る）
2	関節リウマチ
3	筋萎縮性側索硬化症
4	後縦靱帯骨化症
5	骨折を伴う骨粗鬆症
6	初老期における認知症
7	進行性核上性麻痺，大脳皮質基底核変性症およびパーキンソン病
8	脊髄小脳変性症
9	脊柱管狭窄症
10	早老症
11	多系統萎縮症
12	糖尿病性神経障害，糖尿病性腎症および糖尿病性網膜症
13	脳血管疾患
14	閉塞性動脈硬化症
15	慢性閉塞性肺疾患
16	両側の膝関節または股関節に著しい変形を伴う変形性関節症

図5 介護保険制度の仕組み

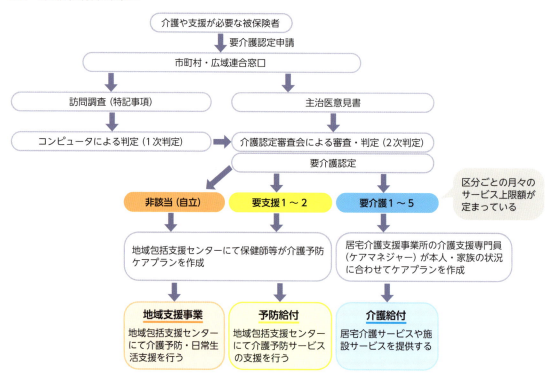

表1 認定区分と目安となる高齢者像

認定結果	目安となる高齢者の状態像
自立（非該当）	歩行や起き上がりなどの日常生活上の基本的動作を自分で行うことが可能であり，かつ，薬の内服，電話の利用などの生活に必要な活動を行う能力もある状態
要支援1	日常生活には支障はないが，立ち上がり等の一部動作に見守りや手助けが必要
要支援2	歩行や立ち上がりがやや不安定となり，歩行や入浴時の洗体等に一部介助が必要
要介護1	立ち上がりや歩行が不安定となり，入浴や排泄，着替え等に部分的な介助が必要。認知機能の低下がみられることがある
要介護2	立ち上がりや歩行，排泄，入浴に介助が必要で生活全般に見守りが必要である。問題行動や認知機能の低下がみられることがある
要介護3	歩行器や杖が必要であり，日常生活全般に見守りや一部介助が必要である。複数の問題行動や認知機能の低下がみられることがある
要介護4	立ち上がりや歩行が一人ではできないなど，日常生活全般に介助が必要である。多くの問題行動や認知機能の低下がみられることがある
要介護5	日常生活全般に介助が必要で，意思伝達困難で多くの問題行動がみられることがある

3 介護保険サービス

介護保険サービスには介護給付と予防給付があり（表2），理学療法士は，訪問・介護予防訪問リハビリテーション，通所・介護予防通所リハビリテーションのほか，短期入所サービスや施設サービス，福祉用具，住宅改修，地域支援事業に関わることもある。地域支援事業は高齢者の一次予防から要支援者に対する三次予防を担っている。

4 地域支援事業

介護保険法第115条では，**地域支援事業**として被保険者が要介護状態等となることを予防するとともに，要介護状態等となった場合においても，可能な限り，地域において自立した日常生活を営むことができるよう支援する。

介護予防における予防の概念は以下の通りである。

一次予防	主として活動的な状態にある高齢者を対象に，生活機能の維持・向上に向けた取り組み
二次予防	要支援・要介護状態に陥るリスクが高い高齢者を早期発見し，要支援状態となることを遅らせる取り組み
三次予防	要支援・要介護状態にある高齢者を対象に，要介護状態の改善や重度化を予防する取り組み

地域支援事業は，要支援者等を対象とした介護予防・日常生活支援総合事業と，地域における包括的・継続的なマネジメント機能としての包括的支援事業などがある。

● 介護予防・日常生活支援総合事業

介護予防・生活支援サービス事業	対象	要支援1・2，要支援や要介護になるおそれがある65歳以上の方
	内容	訪問，通所，配食など生活支援，介護予防ケアマネジメントなど
一般介護予防事業	対象	すべての65歳以上の方
	内容	介護予防の把握，普及，活動支援など

表2 介護サービスの種類

	介護給付を行うサービス	予防給付を行うサービス
都道府県・政令市・中核市が指定・監督を行うサービス	●居宅介護サービス **訪問サービス** ・訪問介護　・訪問入浴介護 ・訪問看護　・訪問リハビリテーション ・居宅療養管理指導 **通所サービス** ・通所介護（デイサービス） ・通所リハビリテーション（デイケア） **短期入所サービス** ・短期入所生活介護（ショートステイ） ・短期入所療養介護 ・特定施設入居者生活介護 ・福祉用具貸与 ・特定福祉用具販売 ●施設サービス ・介護老人福祉施設　・介護老人保健施設 ・介護療養型医療施設　・介護医療院	●介護予防サービス **訪問サービス** ・介護予防訪問入浴介護 ・介護予防訪問看護 ・介護予防訪問リハビリテーション ・介護予防居宅療養管理指導 **通所サービス** ・介護予防通所リハビリテーション **短期入所サービス** ・介護予防短期入所生活介護（ショートステイ） ・介護予防短期入所療養介護 ・介護予防特定施設入居者生活介護 ・介護予防福祉用具貸与 ・介護予防特定福祉用具販売
市町村が指定・監督を行うサービス	●居宅介護支援（ケアマネジメント） ●地域密着型介護サービス ・地域密着型通所介護 ・定期巡回・随時対応型訪問看護介護 ・認知症対応型共同生活介護（グループホーム） ・看護小規模多機能型居宅介護　など	●介護予防支援 ●地域密着型介護予防サービス ・介護予防認知症対応型通所介護 ・介護予防小規模多機能型居宅介護 ・介護予防認知症対応型共同生活介護（グループホーム）　など
その他	・居宅介護住宅改修	・介護予防住宅改修
市町村が実施するサービス	●地域支援事業 ・介護予防・日常生活支援総合事業　・包括的支援事業　など	

5 住宅改修

　介護保険サービスにおける住宅改修は，住みなれた自宅で生活が続けられるように，介護者である家族の意見も取り入れて住宅の改修を行う。介護給付の「居宅住宅改修」と予防給付の「介護予防住宅給付」がある。

　主な住宅改修には，手すりの設置，段差の解消などがある。

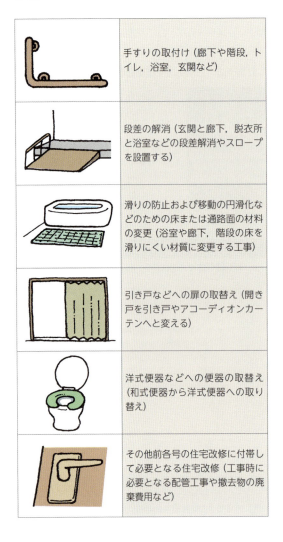

	手すりの取付け（廊下や階段，トイレ，浴室，玄関など）
	段差の解消（玄関と廊下，脱衣所と浴室などの段差解消やスロープを設置する）
	滑りの防止および移動の円滑化などのための床または通路面の材料の変更（浴室や廊下，階段の床を滑りにくい材質に変更する工事）
	引き戸などへの扉の取替え（開き戸を引き戸やアコーディオンカーテンへと変える）
	洋式便器などへの便器の取替え（和式便器から洋式便器への取り替え）
	その他前各号の住宅改修に付帯して必要となる住宅改修（工事時に必要となる配管工事や撤去物の廃棄費用など）

6 福祉用具

　福祉用具には「福祉用具貸与」と「特定福祉用具販売」があり，介護予防給付では「介護予防福祉用具貸与」「介護予防特定福祉用具販売」となる。

　貸与対象の福祉用具には，住宅改修工事を伴わない手すりやスロープをはじめ，特殊寝台（介護用ベッド），車いすや歩行器などがあり，要支援・介護状態により貸与される品目は異なる（図6）。

　また，入浴や排泄用に使用する腰掛便座（ポータブルトイレ）など，「貸与になじまないもの」は購入対象となる。

7 介護報酬

　介護報酬とは，事業者が利用者（要介護者または要支援者）に介護サービスを提供した場合に，その対価として事業者に対して支払われるサービス費用である（図7）。

・介護報酬は，各サービスごとに設定されており，各サービスの基本的なサービス提供に係る費用に加えて，各事業所のサービス提供体制や利用者の状況などに応じて加算・減算される。このため単価は1単位10円が基本である。
・利用者負担は，介護報酬の1〜3割である。
・自宅で生活しながら利用できるリハビリテーションに関するサービスとして，通所や訪問リハビリテーションなどがあり，サービス提供には施設基準が設けられている（表3・4）。
・介護報酬制度の**管轄は厚生労働省**であり，厚生労働大臣が「社会保障審議会（介護給付費分科会）」の意見を聞いて**原則3年に1度**改訂される。

図7　介護報酬支払いの流れ

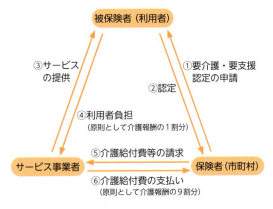

アクティブラーニングのヒント

▶厚生労働省のホームページ「介護サービス情報公表システム」の「介護保険の解説」を見てみよう。
https://www.kaigokensaku.mhlw.go.jp/commentary/

図6 要支援・介護度と福祉用具貸与の具体的項目

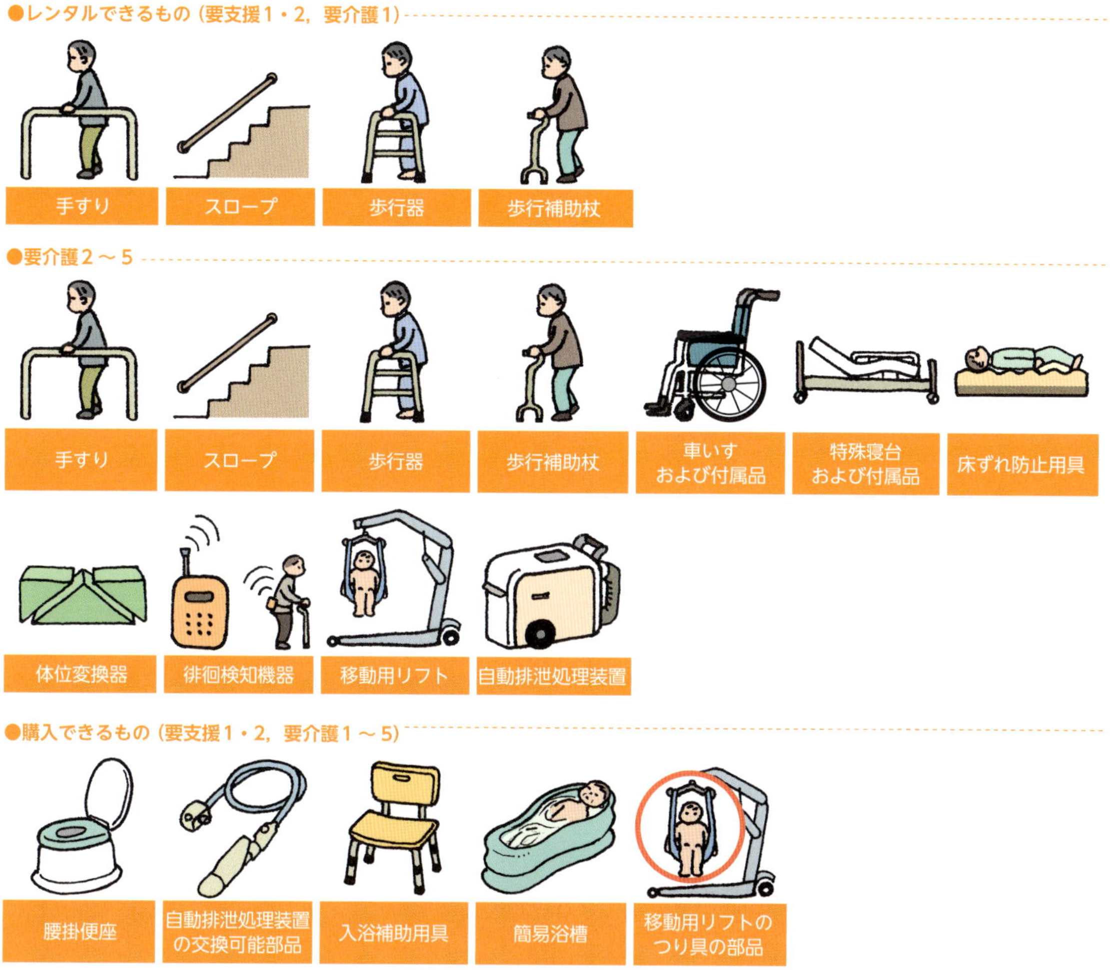

●レンタルできるもの（要支援1・2，要介護1）

| 手すり | スロープ | 歩行器 | 歩行補助杖 |

●要介護2～5

| 手すり | スロープ | 歩行器 | 歩行補助杖 | 車いすおよび付属品 | 特殊寝台および付属品 | 床ずれ防止用具 |

| 体位変換器 | 徘徊検知機器 | 移動用リフト | 自動排泄処理装置 |

●購入できるもの（要支援1・2，要介護1～5）

| 腰掛便座 | 自動排泄処理装置の交換可能部品 | 入浴補助用具 | 簡易浴槽 | 移動用リフトのつり具の部品 |

表3 自宅で生活しながら利用できるリハビリテーション

居宅介護サービス
・訪問リハビリテーション ・通所リハビリテーション
介護予防サービス
・介護予防訪問リハビリテーション ・介護予防通所リハビリテーション

表4 通所・訪問リハビリテーションの施設基準

●通所・介護予防通所リハビリテーションの要件

医師	専任の常勤医師1人以上（病院，診療所併設の介護老人保健施設では，当該病院，診療所の常勤医との兼務可）
従事者（PT，OTもしくはSTまたは看護師，准看護師もしくは介護職員）	単位ごとに（同時間帯に利用する）利用者10人に1人以上
PT，OT，ST	上の内数として，単位ごとに利用者100人に1人以上（所要時間1～2時間では適切な研修を受けた看護師，准看護師，柔道整復師，あん摩マッサージ師で可）
リハビリテーションを行う専用の部屋	指定通所リハビリテーションを行うに必要な専用の部屋（3平方メートルに利用定員を乗じた面積以上）・設備

●訪問・介護予防訪問リハビリテーションの要件

医師	専任の常勤医師1人以上（病院，診療所と併設されている事業所，介護老人保健施設，介護医療院では，当該病院等の常勤医師との兼務で差し支えない）
PT，OT，ST	適当数置かなければならない
設備および備品	・病院，診療所，介護老人保健施設または介護医療院であること ・指定訪問リハビリテーションに必要な設備および備品等を備えているもの

12章 理学療法士の歴史と展望

歴史

POINT

✓ 理学療法の起源①は古く，古代ギリシャ時代まで遡ることができる。

✓ しかし，現在のような理学療法が世の中に広まったのは近代になってからであり，その発祥は**スウェーデン**である。そこで指導を受けた者がヨーロッパ各地に渡り，その理念や実践を普及させた。その後，ヨーロッパで普及した理学療法はアメリカに渡り，第一次世界大戦の負傷者に対して実施された②。

✓ 第一次世界大戦時にアメリカで広まった理学療法は**1960年頃**に日本に伝わった。1963年，日本で初の理学療法士・作業療法士養成校が開校した。**1965年には「理学療法士法・作業療法士法」が制定された**。そして，翌1966年には初めての国家試験が実施され，日本で初の理学療法士が誕生した③。

1 理学療法の起源

医師免許規則が1883年，看護婦規則が1915年，薬剤師法が1925年に制定されたのに対し，理学療法士・作業療法士法は1965年に制定された。これは，第二次世界大戦後の診療エックス線技師法（1951年）や衛生検査技師法（1958年）の制定に次ぐものである。そのため，歴史的に見れば理学療法は比較的新しいもののように思える。

しかし，歴史的に紐解くと，その起源は古代ギリシャのヒポクラテスの時代まで遡ることができる。古代の医学は古代ギリシャの医神アスクレピオスへの信仰が中心であり，病気やケガは神や悪魔により与えられた罰と思い込まれていた。紀元前5世紀，ヒポクラテス（医学の祖と呼ばれる）は科学的な医学の基礎を築き，理学療法の起源にもなった。

● 運動療法や物理療法の起源

ヒポクラテスは肉体的な力を増進させる治療法として食事療法と運動療法を行ったとされる。また，太陽光などの物理的エネルギーを利用した光線療法（日光浴）や温泉を利用した温熱療法も利用したとされる。これらは，正に理学療法士が治療として用いる運動療法や物理療法の起源と言える（図1a）。

● 徒手療法の起源

また，中国最古の医学書とされる黄帝内径（762年）には東洋医学である按摩がしびれや凝りに対して用いられていたと記されている。西洋医学であるマッサージは16世紀にフランスで行われはじめ，その後ヨーロッパに広がり日本に伝来した。これらは理学療法士が治療として用いる徒手療法の起源と言える（図1b）。

図1 理学療法の起源

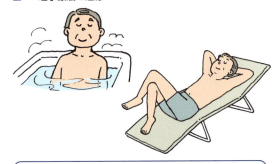

a. 日光浴や温泉

b. 按摩やマッサージ

2 世界の理学療法の歴史

　理学療法の起源とも言える治療は古代より行われていた。しかし，現在のような理学療法が世の中に広まったのは近代になってからであり，スウェーデンからヨーロッパ，さらにはアメリカに広まり，そして日本に伝わった。

●スウェーデンにおける歴史

1813年：ストックホルムに体操学校が設立され，リング（Per Henrik Ling）（スウェーデンの体操の父と呼ばれる）が解剖学，生理学，医学知識などにもとづいた運動療法，徒手療法，マッサージの教育システムを構築し，指導者（理学療法士）の養成を開始した。その教育を受けた者がヨーロッパ各地に渡り，その理念や実践を普及した。

1887年：理学療法士の資格がスウェーデンで認められた。

●イギリス（ヨーロッパ）における歴史

1894年：イギリスにおける理学療法は当初マッサージが主体であった。しかし，当時のマッサージはとても医療と呼べるようなものではなく，その改善を感じた2人の看護師（Lucy Rosalind, Elizabeth Margaret）によりマッサージ師協会が設立された。

1900年：それが法的に認められる団体となり，その後，スウェーデンの運動療法を取り入れ，他団体との合併を経て1920年には王室の許可を受けるまでになった。1944年にはChartered Society of Physiotherapyに改名し現在に至る。

●アメリカにおける歴史

1800年代後半：雷が電気であることを明らかにしたフランクリン（Benjamin Franklin）が，この電気を用いて麻痺の治療を行った。

1918年：ヨーロッパからの運動療法が普及し，イギリスで理学療法士の資格を持つマクミラン（Mary McMillan）がアメリカで最初に理学療法を行った。マクミランはメリーランド州の陸軍病院で第一次世界大戦の負傷者に対して理学療法を行う一方，その需要があまりにも多かったことから全国的な講習会を展開した。

1921年：マクミランとその受講者により米国女性理学療法協会（AWPTA：American Woemen's Physical Therapeutic Association）が組織され，その翌年には会員として男性の理学療法士も認めるためAPTA（American Physiotherapy Association）に改名された。この頃から各地に理学療法士の養成校が開校し，1946年にはAPTA（American Physical therapy Association）に改名され現在に至る。

表2 世界における理学療法の歩み

年	出来事
1813年	**スウェーデン** リングにより解剖学，生理学，医学知識にもとづいた運動療法，徒手療法，マッサージのシステムが構築され，理学療法士の養成を開始した。
1887年	**スウェーデン** 理学療法士の資格がスウェーデンで認められた。
1894年	**イギリス** 2人の看護師によりマッサージ師協会が設立され，1900年に法的に認められた。その後，スウェーデンの運動療法を取り入れ，他団体との合併を経て王室の許可を受けた。
1918年	**アメリカ** イギリス人理学療法士のマクミランにより，メリーランド州の陸軍病院で第一次世界大戦の負傷者に対して理学療法が行われた。その需要があまりにも多かったことから全国的な講習会が展開された。
1921年	**アメリカ** マクミランと受講者により米国女性理学療法協会（AWPTA）が組織され，その翌年，男性会員も認める組織が作られた。
1946年	**アメリカ** 各地に理学療法士の養成校が開校するとともに，現在のAPTAに改名された。

3 日本における理学療法の伝来

● 1800年代後半

日本においては，戦国時代に負傷した兵に対して温泉を用いた物理療法や按摩，マッサージが行われていたようである。1861年，オランダ政府派遣の軍医ポンペ(Pompe van Meerdervoort)の進言により建てられた長崎療養所には，運動室が備えられた。また，明治時代の中盤（1800年代後半），ヨーロッパより医療マッサージが伝えられた。そのため，日本では古い時代より理学療法の起源となる治療は行われていたが，このあたりの1800年代後半が現在の理学療法の始まりと言えよう。

● 1950年代～1960年頃

第一次世界大戦時にアメリカで広まった理学療法が1950年代から1960年頃にかけて日本に伝わった。それまで病院では，マッサージを含めた物理療法を行うことが多かった。

戦後にアメリカから伝わったリハビリテーションの概念を取り入れた運動療法を導入する病院や施設も徐々に創設され始めていたが，実際には理学療法という名称で看護師により実施されるものであり，まだまだ物理療法色の強いものであった。

● 1960年～現在

1960年，厚生労働省（当時，厚生省）は「厚生白書」で医学的リハビリテーションが予防および治療とならぶ医療の重要部門であると初めて言及した。その後，1963年にWHO（世界保健機構）の要請により，日本で初の理学療法士・作業療法士養成校として国立療養所東京病院付属リハビリテーション学院が開校した（2008年閉校）。

1965年8月には「理学療法士法・作業療法士法」が制定され，理学療法が法的に定義された。翌年の1966年には初めての国家試験が実施され，183名が合格し日本で初の理学療法士が誕生した。同年7月17日には日本理学療法士協会が設立され，国立療養所東京病院付属リハビリテーション学院で設立総会が開催された。そのため，協会設立の日である7月17日は「理学療法の日」として日本記念日協会に登録されている。1974年には世界理学療法連盟に加盟，1990年には日本学術会議により学術研究団体として認定された。

3

年	出来事
1861年	オランダ政府派遣の軍医ポンペにより長崎療養所に運動室が建設された
1800年後半	ヨーロッパから医療マッサージが伝わる
1950年代～1960年代	第一次世界大戦時にアメリカで広まった理学療法が日本に伝わる
1960年	厚生白書で医学的リハビリテーションが医療の重要部門であると初めて言及された
1963年	WHO（世界保健機構）の要請により，日本で初の理学療法士・作業療法士養成校が開校した
1965年	理学療法士法・作業療法士法が制定された
1966年	初めての国家試験が実施され，日本で初の理学療法士が誕生した
同年	日本理学療法士協会が設立された

COLUMN

古代ギリシャ医学は現代医学の原型とされる。ギリシャ神話の医神アスクレピオスの杖は，日本理学療法士協会のシンボルマークとして採用されている。ヘビは力の象徴であり，再生と不死身のシンボルとされている（図2・3）。

図2 医神アスクレピオスの杖

図3 日本理学療法士協会のシンボルマーク

アクティブラーニングのヒント

▶ヒポクラテスは医学の父と称され，その後の西洋医学の発展に大きな影響を与えた人物である。そのなかでも医師の職業倫理について書かれた宣誓文が「ヒポクラテスの誓い」であり，世界中の西洋医学教育において現代に至るまで語り継がれている。一度，読んでみよう！

12章 理学療法の歴史と展望
理学療法士の団体と役割

POINT

- ✓ 公益社団法人 日本理学療法士協会（JPTA）❶ および 都道府県理学療法士会 ❷ は職能団体である。
- ✓ これら職能団体は，すべて法人格を有しており，医療・保健・福祉の増進に寄与することを目的に活動している。
- ✓ 理学療法士（PT）には，専門職として，自己研鑽を含めた生涯学習を継続して行う責務があり，これらの職能団体が生涯にわたり学び続ける個々のPTを支援している。
- ✓ 日本理学療法士連盟（JPTF）❸ は，JPTAと密接に連携・協働を図り，JPTAの提言する政策を実現するために政治活動を行う団体である。
- ✓ 日本理学療法学会連合（JSPT）❹ は，理学療法に関する知識の普及，学術文化の向上に関する事業を行い，医療および社会福祉の充実に寄与することを目的とした学術団体である。

1 日本理学療法士協会（JPTA）

● JPTAにおける法人格の変遷

1966年4月16日に第1回の国家試験結果発表があり，特例受験者も含めて183名が合格したが，そのうち110名で同年7月17日には任意団体として日本理学療法士協会が設立された。1972年1月には，人格のある団体として厚生大臣から社団法人としての認可を得た。さらに，2008年に施行された公益法人制度改革関連3法を受けて，2012年4月には内閣総理大臣より公益社団法人の移行認定が受理された。

● JPTAの具体的な組織活動

JPTAの設立目的は，国民の医療・保健・福祉の増進に寄与することである。この目的達成のためにPTは，医療専門職として高い倫理観と高水準の知識・技能を兼備えていることが必要不可欠である。そこで日進月歩する医療・保健・福祉に関する情報を会員が生涯にわたり享受できるよう，組織的に職能・学術・倫理面から会員を支えている（図1）。そのほか，各行政官庁と連携した活動や全国組織の職能活動も積極的に実施している。

図1　公益社団法人日本理学療法士協会の概念図

● JPTAにおける生涯学習制度

PTには，専門職として，自己研鑽を含めた生涯学習を継続して行う責務がある。本制度は，基本と専門性，コアとトレンドの同時継続を重視するものであり，国民に対してPTという専門職の質を保証するために個々の会員が5年ごとに更新しながら，生涯にわたり知識・技術の維持・向上を図ることを目的としている。

具体的には，JPTA入会後，PTは，まず，前期研修（最短履修期間が2年間）を履修し，その後，後期研修（最短履修期間が3年間）を履修することで**登録理学療法士**を取得する。登録理学療法士となった会員は，5年ごとの更新を目安に自己研鑽を続けながら，この登録理学療法士を基盤として，さらに個性の育成プログラムである臨床実践分野において秀でている**認定理学療法士**や学問的指向性の高い**専門理学療法士**などのスペシャリストを目指して研鑽する。なお，これらもすべて5年ごとの更新制である。

2 都道府県理学療法士会

47都道府県ごとに組織化された理学療法士の職能団体（以下，各士会）は，すべてが法人格（公益社団法人：27，一般社団法人：20）を有している。これらの設立目的は，各都道府県民の医療・保健・福祉の増進に寄与することであり，そのためJPTAと同様に組織的に職能・学術・倫理面から会員を支えている。

また，各士会は，各都道府県民を対象として，都道府県庁や区市町村などの自治体等と連携しながら，都道府県ごとの地域の課題を解決するために，会員一人ひとりが専門職としての自覚と責任感を持ちながら，地域住民への直接的なサービス提供（介護予防事業などの地域貢献活動など）を積極的に実施している。

3 日本理学療法士連盟（JPTF）

JPTF（2004年発足）は，JPTAと密接に連携・協働を図り，JPTAが提言する政策を実現するために政治活動を行う団体である。国民とPTの声を国政に届けるPT国会議員の擁立や，国政・地方議会，行政の場に働きかけ，PTが専門性を発揮しうる法律や制度を整備し，PTの職域の拡大と地位の向上を図るとともに，その発展および普及に努め，国民の健康と生活を守ることをその活動方針としている。

4 日本理学療法学会連合（JSPT）

昨今のPTの活動領域が拡大していることに応じて，科学的根拠に基づいた理学療法の確立が社会から強く求められている。また，それに伴い当然のことながら理学療法を実施するうえで，理学療法モデルに則った効果検証の重要性は高まっている。

これらを背景として，2013年に専門分化した学術的な発展に合わせて==12の分科学会==と==5つの部門==が設立され，2021年には，この12分科学会は一般社団法人格を取得し，8部門は研究会へと発展した。2023年には，新たに3つの研究会が学会化をはかり，現在15学会（一般社団法人），5研究会となっている（表1）。

なお，これら分科学会および研究会を束ねるJSPTは，理学療法に関する知識の普及，学術文化の向上に関する事業を行い，医療および社会福祉の充実に寄与することを設立目的としている。

表1　一社）日本理学療法学会連合における法人学会と研究会（2023年8月24日現在）

一般社団法人		研究会
日本運動器理学療法学会	日本循環器理学療法学会	日本ウィメンズヘルス・メンズヘルス理学療法研究会
日本栄養・嚥下理学療法学会	日本スポーツ理学療法学会	日本筋骨格系徒手理学療法研究会
日本がん・リンパ浮腫理学療法学会	日本地域理学療法学会	日本産業理学療法研究会
日本基礎理学療法学会	日本糖尿病理学療法学会	日本精神・心理領域理学療法研究会
日本呼吸理学療法学会	日本予防理学療法学会	日本物理療法研究会
日本支援工学理学療法学会	日本理学療法管理学会	
日本小児理学療法学会	日本理学療法教育学会	
日本神経理学療法学会		

一社）日本理学療法学会連合（https://www.jspt.or.jp/20210119/）より作成

アクティブラーニングのヒント

- JPTA，および養成校所在地のある各都道府県理学療法士会の定款から共通点と相違点を確認しよう。
- JPTAとJPTFのホームページから共通点と相違点を確認しよう。
- 将来，深く学びたい領域をJSPTから選択し，その領域においてどのようなことを学びたいかを発表しよう。

参考文献

[1] JPTAホームページ：https://www.japanpt.or.jp/
[2] 各都道府県理学療法士会ホームページ情報：https://www.japanpt.or.jp/about/divisions/
[3] JPTFホームページ：https://pt-renmei.jp/
[4] JSPTホームページ：https://www.jspt.or.jp/

12章 理学療法の歴史と展望

理学療法の需要と供給，展望

POINT

✓ 医療従事者の需給に関する検討会「PT・OT（作業療法士）需給分科会において，一定の仮定・前提のもとに厚生労働省が計算した**PT・OTの総計における需給推計**❶❷が示された[1]。

✓ 都道府県別の人口に対するPT比率では，最も高いのが高知県であり，最も低いのが東京都であった[2-4]。

✓ 需給推計は，その多寡（たか）のみで判断せず，各都道府県における高齢化率や地域課題などによりPTの必要性には地域格差があるため，さまざまな要因をもとに精査していく必要がある。

✓ **PTにおける展望**❸としては，JPTA業務指針[5]で挙げられている「1.健康増進，2.予防，3.治療，4.介入，5.リハビリテーション，6.ハビリテーション」のそれぞれにおいて社会の要請を的確に捉えながらPTの専門性を発揮していくことが求められている。

✓ そのなかでも特に，PTが国民の健康教育の普及・向上（ヘルスリテラシー）において必要不可欠な存在となるよう組織的に実践できるか否かによって，わが国におけるPTの存在価値は定まるだろう。

1) 厚生労働省：医療従事者の需給に関する検討会 理学療法士・作業療法士分科会（第3回）．(https://www.mhlw.go.jp/stf/shingi2/0000132674_00001.html)
2) 総務省統計局：人口推計（2022年10月1日現在）．(https://www.stat.go.jp/data/jinsui/2022np/index.html) 2023年8月24日閲覧
3) （公社）日本理学療法士協会：統計情報 都道府県別会員数．(https://www.japanpt.or.jp/activity/data/) 2023年8月24日閲覧
4) 高知県庁：第7期高知県保健医療計画．(https://www.pref.kochi.lg.jp/soshiki/131301/2022011700289.html) 2023年8月24日閲覧
5) （公社）日本理学療法士協会：理学療法士業務指針 2022年4月．(https://www.japanpt.or.jp/about/disclosure/PT_Business_guidelines.pdf) 2023年8月24日閲覧

❶ 厚生労働省PT・OT需給推計

「PT・OT需給分科会（第3回：2019年4月5日開催）」において，PT・OT需給推計が示された[1]（図1）。なお，本需給推計は，第2回PT・OT需給分科会における議論を踏まえ，一定の仮定・前提のもとに厚生労働省が計算した推計結果であり，第3回PT・OT需給分科会における議論のための資料である。

アクティブラーニングのヒント
▶わが国において，PTの専門性が活かせるヘルスリテラシーにはどのようなことがあるか調べてみよう。

医療従事者の需給に関する検討会「第3回PT・OT分科会」における主な意見

・PTとOTの総数で需給推計資料提示されているが，それぞれの職種別に状況が異なることも予測されるため個別の推計データの提示を希望する。
・個々の病院の需給に関する実感と，本調査結果にズレが現時点では生じている。これは，地域医療構想（病床の機能分化・連携・再編）の議論により，医師，医療従事者を含めて供給と医療体制を一致させていくことでその格差は埋まっていくものと考えている。
・この需給課題は，質向上と並行して対応していく必要がある。
・昨今の健康寿命を延伸という視点から，医療とは別にさまざまな分野における予防的な取り組みがなされており，今後，PT・OTの需要を拡大する可能性はある。

図1 理学療法士・作業療法士の需給推計について（案）

PT・OTの供給数は，現時点においては，需要数を上回っており，2040年頃には供給数が需要数の約1.5倍となる結果となった。
供給推計全体の平均勤務時間と性年齢階級別の勤務時間の比（仕事率）を考慮して推計。
需要推計ケース1，ケース2，ケース3について推計※
※精神科入院受療率、外来リハビリ実施率，時間外労働時間について幅を持って推計

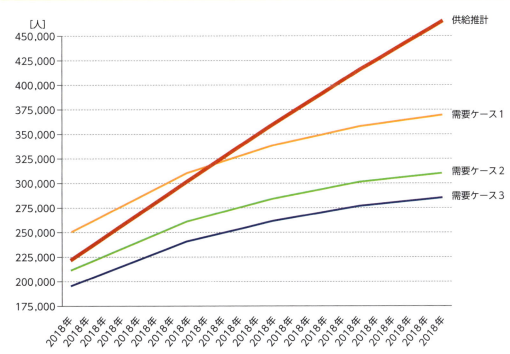

文献1) より引用

2 JPTA会員数と47都道府県別人口からみたPT需給推計

都道府県別の人口[2]と日本理学療法士協会（JPTA）都道府県別会員数[3]の情報から各都道府県人口1万人あたりのPT数を換算すると，高知県が24.3人と全国で最も高く，東京都が「7.2人」と最も低い。

この状況において高知県では，第7期高知県保健医療計画[4]において，PTにおける課題を「県内のPTの従事者数は，人口あたりでは全国平均と比較して大きく上回っているが，高齢化の進展と慢性疾患の増加などの疾病構造の変化や，医学・医療技術の急速な進歩・発展に伴う医療技術者の担当分野の細分化などに対応するために，一層の専門性の向上に努める必要がある」と述べている。つまり，現状において人口あたりのPT数が全国1位であっても供給過多という見解はなく，その必要性からPTの質向上に努めることを謳っていることは興味深い。

また，この高知県の人口1万人あたりのPT数24.3人を基準として，各都道府県人口に対するPT数を換算し，現状の各都道府県PT会員数と比較してみると，現状においてすべての都道府県でPT数は不足していることになる（**表1・図1**）。ただし，各都道府県における高齢化率や地域課題などによりPTの必要性には地域格差があるため，需給関係についてはさまざまな要因をもとに精査していく必要がある。また，高知県のPT数は現在も増加しており，表に挙げたPT需要人数は社会情勢によって今後も増加する可能性がある。

表1　JPTA会員数と47都道府県別人口からみたPT需給推計

順位	都道府県名	人口[万人]2)	PT会員数3)	人口1万人あたりPT数[人]	高知県のPT比率(24.3人/万人)でのPT数[人]	高知県PT比率からの過不足PT数[人]	順位	都道府県名	人口[万人]2)	PT会員数3)	人口1万人あたりPT数[人]	高知県のPT比率(24.3人/万人)でのPT数[人]	高知県PT比率からの過不足PT数[人]
1	高知県	67.6	1,643	24.3	1,643	0	25	宮崎県	105.2	1,299	12.3	2,557	-1,258
2	鹿児島県	156.3	3,019	19.3	3,799	-780	26	兵庫県	540.2	6,558	12.1	13,129	-6,571
3	徳島県	70.4	1,302	18.5	1,711	-409	27	石川県	111.8	1,343	12.0	2,717	-1,374
4	大分県	110.7	1,973	17.8	2,691	-718	28	静岡県	358.2	4,266	11.9	8,706	-4,440
5	熊本県	171.8	3,036	17.7	4,176	-1,140	29	大阪府	878.2	9,906	11.3	21,344	-11,438
6	佐賀県	80.1	1,401	17.5	1,947	-546	30	山形県	104.1	1,129	10.8	2,530	-1,401
7	長崎県	128.3	2,231	17.4	3,118	-887	31	富山県	101.7	1,070	10.5	2,472	-1,402
8	和歌山県	90.3	1,566	17.3	2,195	-629	32	岐阜県	194.6	2,022	10.4	4,730	-2,708
9	鳥取県	54.4	890	16.4	1,322	-432	33	岩手県	118.1	1,226	10.4	2,870	-1,644
10	愛媛県	130.6	1,910	14.6	3,174	-1,264	34	福島県	179.0	1,802	10.1	4,351	-2,549
11	福井県	75.3	1,063	14.1	1,830	-767	35	三重県	174.2	1,704	9.8	4,234	-2,530
12	香川県	93.4	1,291	13.8	2,270	-979	36	滋賀県	140.9	1,314	9.3	3,425	-2,111
13	北海道	514.0	7,055	13.7	12,493	-5,438	37	千葉県	626.6	5,837	9.3	15,229	-9,392
14	福岡県	511.6	6,999	13.7	12,434	-5,435	38	愛知県	749.5	6,977	9.3	18,216	-11,239
15	山口県	131.3	1,796	13.7	3,191	-1,395	39	青森県	120.4	1,109	9.2	2,926	-1,817
16	広島県	276.0	3,756	13.6	6,708	-2,952	40	茨城県	284.0	2,535	8.9	6,903	-4,368
17	山梨県	80.2	1,065	13.3	1,949	-884	41	新潟県	215.3	1,877	8.7	5,233	-3,356
18	長野県	202.0	2,605	12.9	4,910	-2,305	42	秋田県	93.0	785	8.4	2,260	-1,475
19	島根県	65.8	841	12.8	1,599	-758	43	埼玉県	733.7	6,150	8.4	17,832	-11,682
20	沖縄県	146.8	1,865	12.7	3,568	-1,703	44	栃木県	190.9	1,584	8.3	4,640	-3,056
21	奈良県	130.6	1,629	12.5	3,174	-1,545	45	宮城県	228.0	1,883	8.3	5,541	-3,658
22	群馬県	191.3	2,386	12.5	4,649	-2,263	46	神奈川県	923.2	6,964	7.5	22,438	-15,474
23	京都府	255.0	3,178	12.5	6,198	-3,020	47	東京都	1403.8	10,095	7.2	34,119	-24,024
24	岡山県	186.2	2,303	12.4	4,526	-2,223							

文献2・3)をもとに作成

図1　過不足PT数に基づき色分けした区分図

表1「高知県PT比率からの過不足PT数[人]」に基づき着色。
0～-2000：
-2,000～-5,000：
-5,000～-10,000：
-10,000以下：

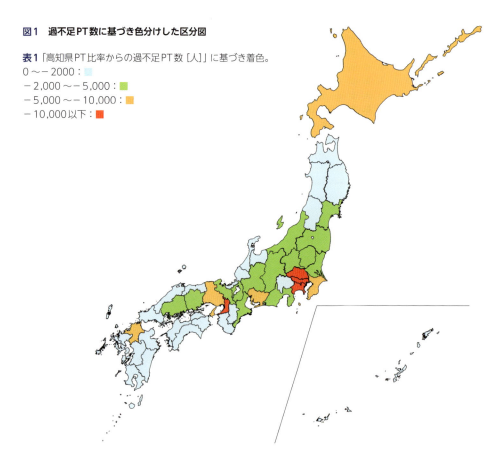

3 社会におけるPTの今後の展望

JPTA業務指針[5]では，PTが専門的に行う領域として表2に示す6つ(1.健康増進，2.予防，3.治療，4.介入，5.リハビリテーション，6.ハビリテーション) を挙げている。この領域のなかでもPTは，これまで医療・介護保険制度内において「治療」「リハビリテーション」「ハビリテーション」をその主な業務としてきた。今後もこの領域は，科学的根拠に基づきながら，対象者の価値観や資源などに配慮した合意形成に基づく理学療法の実践により，対象者の自立した生活や活動性の向上，ひいては生活の質向上や改善につながり，さらなる社会の要請を得ながら発展するものと予測される。

そのほか，昨今の少子高齢社会など社会環境が変化するなかで，PTへの社会の要請はこれまでの上述した3つのみならず，障害者福祉や教育・研究，行政，生涯現役社会を実現するための予防(介護，転倒，認知症，フレイルなど) や，健康増進・生活習慣病予防サービス(健康経営に資するヘルスケア産業) など多様な公的保険外サービスにも拡大している。今後，PTには，これら社会の要請に対して医学モデルと社会モデルの双方を駆使できる専門職として，国民のヘルスリテラシーを保証するエビデンスを実証することが求められている。

今まさに，多様な人々の参加制限と障害への改善に向けて，PTが国民のヘルスリテラシーにおいて必要不可欠な存在となるよう組織的に実践できるか否かによって，わが国におけるPTの存在価値は定まるだろう。

表2　理学療法士が専門的に行う領域について

領域名	説明
1 健康増進	人々が自らの健康とその決定要因をコントロールし，改善することができるようにするプロセスのこと
2 予防	自立した生活を維持するために，最適な機能へ到達・回復をすること，機能障害，活動や参加制限を最小限にすること，健康を維持すること，それによる疾病や障がいの悪化予防(重症化，介護予防など) や外傷の予防，適切な環境に調整することを目指した活動のこと
3 治療	患者に対し医師の指示のもとに理学療法士による提供される技術の総称のこと
4 介入	集団に対し，疾患・障がい・予防・治療・解決のために対応すること。理学療法手段には運動療法，セルフケアや在宅管理のための機能訓練，職場・地域・余暇活動への統合，あるいは再統合のための機能訓練，適切な機器や道具の制作の提案と適用，物理療法などがある
5 リハビリテーション	それぞれの環境と相互に作用しながら，最適な(最善の)機能に到達する，あるいは，機能を維持するために，障がいを持った，あるいは，障がいに陥りやすい個々人を手助け(援助)するための一連の手段のこと
6 ハビリテーション	先天的に，あるいは，人生の初期に障がいを持った個々人の機能を最大限発達するために手助け(援助)することを目的とする一連の手段のこと

文献5)をもとに作成

COLUMN　ヘルスリテラシー(health literacy) とは

個々の「身体的・精神的・社会的・予防的な健康」に関する情報を理解し，これらを活用する能力のことである。具体的には，医学的な言葉や概念を理解するほか，医療や健康に関する情報を正しく解釈できる能力(健康情報の理解)，提供された健康情報の信頼性や信憑性を評価し，健康上の意思決定において信頼できる情報を見極める能力(健康情報の評価)，得られた健康情報を実際の健康管理や医療上の意思決定に活かす能力(健康情報の活用) が包含される。

12章 理学療法の歴史と展望

世界の理学療法

POINT

- ✓ わが国の理学療法教育には，大学教育（4年制），専門学校（3年制，4年制）がある**1**。
- ✓ わが国の理学療法士は「医師の指示の下」に理学療法を行うことと定められており，臨床業務として開業権，および直接患者を診ることは認められていない**3**。
- ✓ 理学療法のDirect accessとは，理学療法士が医師の指示（処方箋）を介さず，独自に患者を評価・診断できる権利をいう。
- ✓ 各国により，修業年数，国家試験の有無，理学療法士・作業療法士・言語聴覚士の区別の有無，開業権の有無等が異なる**2**。

1 日本の理学療法

詳しくは第1・2章（p.2～19）参照のこと。

教育		・大学教育（4年制），専門学校（3年制，4年制）
		・理学療法士国家試験の受験資格は，「文部科学省令・厚生労働省令で定める基準に適合するものとして，文部科学大臣が指定した学校又は都道府県知事が指定した理学療法士養成施設において，3年以上理学療法士として必要な知識及び技能を修得したもの」
		・その他，既に作業療法士の国家資格を有するものは，上記学校または理学療法士養成施設で2年以上学ぶことで受験資格が得られる
臨床業務	Direct Access	認められていない
	開業権	認められていない

2 世界の理学療法

● 米国の理学療法

教育		・理学療法士免許は州ごとに異なる。
		・理学療法教育は3年間の大学院教育（DPT：Doctor of Physical Therapy）。大学卒業後，大学院進学に必要な条件をクリアし，入学する。DPTプログラム期間は通常3年間
		・年間の短期大学の教育で，理学療法評価以外の治療を理学療法士の管理下で行える「理学療法アシスタント（aide）」の制度もある
臨床業務	Direct Access	認められている。2015年より，全米50州で理学療法士が医師を介さずに診断や治療ができる
	開業権	認められている

● イギリスの理学療法

教育		・学士コース（3年制），大学卒業後の修士コース（2年制）
		・コースを修了し，HCPC（Health and care professions council）に登録することでPTとして就業できる（日本の国家試験に相当する試験はない）
		・PT免許は2年間の更新制
臨床業務	Direct Access	認められている。1978年より，医師の処方箋がなくても理学療法士が理学療法サービスを提供可能
	開業権	認められている

● フランスの理学療法

教育		・高等学校卒業後3年間の専門学校教育，または高等学校卒業後，1年間の医科大学での基礎教育を経て3年間専門学校
		・卒業後国家試験を受験
臨床業務	Direct Access	認められていない
	開業権	認められている

● オーストラリアの理学療法

教育		・4年制大学での理学療法教育，または2年制の大学院での理学療法教育
		・国家試験はなく，教育を修了しAHPRA(Australian Health Practitioner Regulatory Agency)に登録
臨床業務	Direct Access	認められている
	開業権	認められている

● 韓国の理学療法

教育		・国家試験を受験するためには，4年制大学での理学療法教育，または3年制の短期大学での理学療法教育の修得が必要
		・免許には3年ごとの更新制度がある（就業状況の報告，補習教育の受講）
臨床業務	Direct Access	認められていない
	開業権	認められていない

● ミャンマーの理学療法

教育		・保健スポーツ省管轄の2校の医療技術大学と国防省管轄の1校の大学で学士課程（4年）と修士課程（2年）の教育が行われている。
		・うち，2大学には3年間の博士課程プログラムがある
臨床業務	Direct Access	認められていない
	開業権	認められていない

● 中国の理学療法

教育		・リハビリテーションを学ぶ学校は，大学（3～5年），短期大学（3～5年），専門学校（3年）がある。リハビリテーション治療士としてPT，OT，STが共通の資格。
		・2002年9月に日本のJICAによる「リハビリテーション専門職養成プロジェクト」の協力の下，首都医科大学に理学療法，作業療法の本科（4年制）が開設された
臨床業務	Direct Access	認められていない
	開業権	認められていない

COLUMN

Direct Access：理学療法士が医師を介さず独自に診断や治療ができる権利。

医療事故・過誤

POINT

- ✓ 理学療法士は，**医療過誤訴訟**の**対象になる可能性がある**ことを認識する **1**。
- ✓ **安全管理・リスクマネジメント**は，対象者，理学療法士および施設の**安全と質を保証**するための，**個人および組織の必須活動**である **2**。
- ✓ 人間は，**エラー**を誰もが，どこでも起こしうる。
- ✓ **アクシデント**で生じた**有害事象**や**インシデント**（ヒヤリ・ハット）は，前向きに捉えて**報告**し，**蓄積・分析・対策・共有**をして医療安全とリスク管理に役立てる必要がある。
- ✓ 医療安全は，**一人ひとりが意識を高く持って積極的に参加・実践・継続**し，**組織的に取り組む**ことが求められる。

1 医療事故と過誤（図1）

●医療事故

アクシデント。医療に関わる場所で，**医療の全過程において発生するすべての人身事故**のことである。医療従事者の過誤，過失の有無を問わない。身体的被害および苦痛，不安等の精神的被害が生じた場合（例：死亡，病状悪化），医療行為とは直接関係しない場合（例：患者が廊下で転倒し，負傷），医療従事者に被害が生じた場合（例：針刺し事故）がある。

●医療過誤

医療事故に含まれ，医療従事者が医療の遂行において，医療的準則に違反して**患者に被害を発生させた行為**のことである。理学療法士も**医療過誤訴訟の対象になりうる**。客観的事実を**診療記録に残す**ことが，円滑な事実確認へ結びつく。

図1　医療過誤と事故，インシデントの関係

2 安全管理・リスク管理／マネジメント

●捉え方

対象者および医療従事者および施設の**安全と質を保証する**ための，**個人および組織的な活動**である。危機および危険管理（リスクマネジメント）は，リスク（生じる可能性がる不利益）について要因を評価し，予想・予測に基づいた未然の防止と事後対策の備えと実践，対象者に不利益が生じた際の対応・実践，対応後の振り返りから今後に活かす（さらなる対策案および周知共有）までの一連の過程を意味する。

有害事象の発生と影響を最小限に抑え，**有害事象**からの回復を最大限に高めるものであり，質の高い医療と内容の透明性を担保する安全管理につながる。前提として，**人間はエラー（human error）を起こす**ことを認識し，防止・対応策を実践できることが求められる。対象者の安全は医療システムが備えておくべき重要な特性であり，責任志向（個人責任を追及）でなく，**原因志向**による背景に鑑みた今後の対策を検討することが組織運営として大切となる。

● 用語

エラー	正しいことをしようとして，間違ったことをしてしまった場合に発生するもの．技能ベースの「不注意」「記憶忘れ」によるもののほかに，間違い（mistake）がある．間違いは，意図した行為自体が誤っていたために発生する失敗であり，計画そのものが誤っていた場合を指す
有害事象	対象者に生じたすべての好ましくない，または意図しない傷病もしくはその徴候のこと
インシデント	ヒヤリ・ハット事例．偶発事象．思いがけないできごと．医療事故に至らずとも危険行為の実施または直前に避けられた事例
インシデントレポート	事実，原因，分析評価，再発防止，アクシデントの予防を目的として，前向きに報告して今後の改善・予防に役立てるもの
Heinrichの法則	1つの重大な事故に対して多数の軽微な事故が発生していることを指摘したもの（図2）．アクシデント数減少には，インシデント数減少のための対策が必須となる
スイスチーズモデル[1]	穴は多くあり，絶えず開いたり，閉じたり，場所を移動する．1つの「スライス」に穴があっても，通常は悪い結果にはならないが，事故は多くの層の穴が瞬間的に並ぶ場合にのみ発生する（図3）．ヒューマンエラーによる有害事象を引き起こさないためには，組織的な対策（人員増加や手順確認の徹底など）を立てることが重要

図2　ハインリッヒの法則

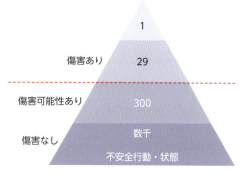

1件は重い災害があったとすると，29回の軽傷，傷害のない事故を300回起こし，無傷害事故の背後には数千の不安全行動・状態があることを指摘している．

図3　スイスチーズモデル

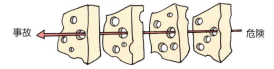

チーズは防御壁・障壁・安全装置であり，多ければミスはあるが重大な事象にはつながりにくい．組織的な基盤に人のミス（手順など）が偶然重なって重大事象が生じる．

文献1) より引用

1) Reason J: Human error: models and management. Bmj 320: 768-770, 2000.

Column

- コンプライアンス：法令や指示を遵守すること．
- パレートの法則：20%を占める部分が全体の方向性を決定しているという法則．「80：20の法則」「2：8の法則」「ばらつきの法則」ともいう．例：トラブルの8割は全システムのうちの2割が原因で生じている．
- 医療安全対策の義務化：2007（平成19）年4月より医療安全対策の義務化がされた．各施設における安全管理のための各種マニュアル（院内感染対策指針，医薬品安全使用マニュアルなど）を確認し，遵守すること．職員は，年間1・2回程度の医療安全研修・講習会への参加努力が求められる．

アクティブラーニングのヒント

▶ 指針などは更新されていくものと認識し，まずは現状について参考文献を読んでみよう．
- リスクマネージメントマニュアル作成指針（2000）[2]
- 人を対象とする生命科学・医学研究に関する倫理指針（2021）[3]
- 医療安全管理者の業務指針および養成のための研修プログラム作成指針（2020）[4]

2) 厚生労働省：リスクマネージメントマニュアル作成指針，2000．(https://www.mhlw.go.jp/www1/topics/sisin/tp1102-1_12.html) 2023年8月閲覧

3) 文部科学省ほか：人を対象とする生命科学・医学研究に関する倫理指針，2021．(https://www.mhlw.go.jp/content/001077424.pdf) 2023年8月閲覧

4) 厚生労働省：医療安全管理者の業務指針および養成のための研修プログラム作成指針-医療安全管理者の質の向上のために-．令和2年3月改定，2020．(https://www.mhlw.go.jp/content/10800000/000898761.pdf) 2023年8月閲覧

13章 理学療法の安全管理

感染予防

POINT

- 自身が**感染の媒介者になりうる**ことを認識し，感染予防に努めなければならない。
- 感染予防は，**病原体**排除，**感染経路**遮断，**宿主**抵抗力向上が必要であり，対策として**感染経路別予防策**と**標準予防策**（standard precautions）がある❶。
- 感染経路は，**接触感染，飛沫感染，空気感染，血液媒介感染**などがあり❷，感染経路遮断の基本は，**病原体を持ち込まない・持ち出さない・広げない**ことである。
- 標準予防策は，**感染症の診断の有無にかかわらず，すべての利用者に対して**標準的に行う感染防止対策のことである❸。
- **手指衛生**の実施と**個人防護具（PPE）**（personal protective equipment）の取り扱いは個人単位の基本である。

❶ 感染成立の3要因と対策

感染成立の要因は病原体（感染源），感染経路，宿主であり，対策は，病原体（感染源）の排除，感染経路の遮断，宿主抵抗力の向上が挙げられる。対象者と私達自身（保健医療介護職員と）の両方を感染から守るため，**病原体を持ち込まない・持ち出さない・広げない**ように「標準予防策」と「感染経路別予防策」の実施が求められる。

感染経路への対策
　＝感染経路の遮断＝**感染経路別予防策**

COLUMN 感染と感染症

感染と感染症は異なる。人における感染とは，病原体（＝病気を起こす小さな生物）が体に侵入し，共存しつつ互いに勝とうと争っている状態のことである。感染症とは，病原体が体に侵入して，症状が出る病気のことである。つまり，感染後，症状が出て感染症となる。

COLUMN 空気感染とエアロゾル感染

空気感染は，ウイルスがかなり長い時間空気中に漂うものであり，エアロゾル感染はウイルスがしばらく空気中に漂うものである。

❷ 感染経路と感染経路別予防策

種別	特徴・感染経路	病原体	対策
接触感染	施設内感染で最多。人，環境や物に触れることで生じる	メチシリン耐性黄色ブドウ球菌（MRSA），ノロウイルス，腸管出血性大腸菌	PPE
飛沫感染	咳やくしゃみをしたときに，しぶきの中に含まれて飛び出し，近くにいる人の鼻や気道の粘膜に付着して感染する。1m以内に床に落下し，空中を浮遊し続けることはない	かぜ，インフルエンザ，風疹，ムンプス（流行性耳下腺炎）	ベッド間隔を2m以上空けることや個室・集団隔離管理。PPE
空気感染	咳やくしゃみをしたときに，しぶきの中の微生物が乾燥して小さな粒子となり，長時間空中を漂って，近くの人だけでなく遠くにいる人まで感染する	結核，はしか，水痘，播種性帯状疱疹	陰圧個室管理，PPE（マスクはN95マスク）
血液媒介感染	病原体に汚染された血液や体液，分泌物が，針刺し等により体内に入ることにより感染する	B型肝炎ウイルス，C型肝炎ウイルス，ヒト免疫不全症候群ウイルス（HIV）であり，介入前の事前確認・把握が重要である	PPE

3 標準予防策

すべての患者ケアに用いられる。リスクアセスメントに基づき、医療従事者を感染から守り、患者から患者への感染拡大を防ぐために、個人防護具の使用と常識的な実践を行う[1]。

感染症の診断の有無にかかわらず、すべての利用者に対して標準的に行う感染防止対策のこと。すべての利用者の血液、汗を除く体液（精液・膣分泌液）、分泌物（喀痰・唾液・鼻水・目やに・母乳）、排泄物（尿・便・吐物）、創傷のある皮膚、粘膜（口・鼻の中・肛門・陰部）には感染症を発症させる危険性があるものとして対応する。

内容は、手指衛生、個人防護用具（PPE）の使用、呼吸器衛生／咳エチケット、適切な対象者配置、対象者へのケア時に使用した器材・器具・機器の取り扱い、周辺環境整備およびリネンの取り扱い、安全な注射手技、腰椎穿刺時の感染予防策、血液媒介病原体曝露防止が含まれる。

1) CDC Centers for Disease Control and Prevention : Standard Precautions for All Patient Care. (https://www.cdc.gov/infectioncontrol/basics/standard-precautions.html) 2023年8月閲覧

● 手指衛生（手洗いと手指消毒）

手指消毒は、流水と石鹸、擦式手指消毒薬がある。目に見えて汚れていない場合は、アルコールベースの手指消毒剤を使用して手を洗浄することが推奨される。アルコールベースの手指消毒剤を使用する際に見落とすことが最も多い場所は、親指、指先、指の間、手首である。消毒が操作後のみに必要な場合はベッド柵の操作、リネン交換などであり、操作前後に必須な場合は気管吸引、血圧測定、脈拍測定、体温測定などがある。

- **手指衛生実施のタイミング**：患者に触る前、清潔・無菌的手技の前、血液・体液などに触れた後、患者に触れた後、患者周囲環境に触れた後。
- **「1 行為、2 手洗い」**：1つの処置・ケア・業務が終了するごとに、手洗いをする。

具体例） 手指衛生は、気管吸引など、介入前後で必要である。創傷皮膚に触れた場合、他の部位に触れる前に手洗いが必要である。ベッド柵の操作やリネン交換は操作の後のみでもよい。

● 個人防護用具（PPE）（図1）

手袋、マスク、ガウン・エプロン、ゴーグル、フェイスシールド、シューズカバーがある。

図1 PPE使用例（手袋、マスク、エプロン、ゴーグル）

着脱手順（使用しないPPEは順番を飛ばして着脱する）

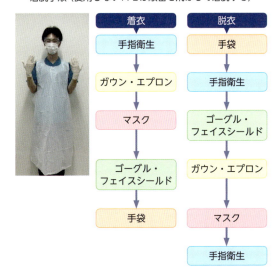

● 呼吸器衛生／咳エチケット

咳やくしゃみをするときは鼻と口を覆う。ティッシュがない場合、肘の内側で鼻と口を覆って行う。

具体例）

マスク	不織布マスク（消耗品）を使用する。病原体が空気感染をする場合はN95マスクを用いる
ガウン	退室時病室内で脱いで廃棄する
ゴーグル	目の粘膜汚染を防ぐために眼鏡では代用できない
手袋	汗は原則として感染の可能性はないものとして扱うため、不要である。また、患者が出血した場合に手袋をして対処することが必要である

その他、理学療法士は感染経路の把握、手指衛生（手洗い、手指消毒）、ガウンテクニック（マスク、ゴーグル、手袋）、院内ガイドラインの遵守が必須である。

アクティブラーニングのヒント

▶公益社団法人日本理学療法士協会による「コロナ禍で見直す、感染予防の理論と実践-感染管理と理学療法の両立-」動画をみてみよう！
一括版（41分44秒）、分割版あり

https://www.youtube.com/playlist?list=PLjsjRuiCw8N0HG42YZ4O_4qatAL_q7Y8t

13章 理学療法の安全管理

個人情報保護と記録，報告

POINT

- 個人情報は，氏名や生年月日などの情報は，個人に関わる大切な情報である．活用することで，行政や医療などさまざまな分野において，サービスの向上や業務の効率化が図られるという側面がある．一方で個人情報の漏洩と悪用によるプライバシー侵害のリスクがある．

- 個人情報保護法[1]が成立され，個人情報に関するルールが定められている．個人情報[2]は理学療法士含む医療従事者にとって守秘義務と利用目的を明確にする[3]必要がある．

- 患者の身体的評価や治療経過などについて記録し報告することで，効果的なリハビリテーションを提供できる[4]．

- 臨床実習学生の実習施設での個人情報取扱[5]については，十分にルールについて理解し実習に臨む必要がある．

1 個人情報保護法[1]
Personal Data Protection Law

個人情報保護法は，2003（平成15）年に成立され，2005（平成17）年の4月に全面施行された．個人のプライバシーと個人情報を保護するために制定される法律である．

この法律は，個人が提供する情報が適切に収集，処理，保管されることを確保し，不正なアクセスや悪用から守るために存在する．個人情報保護法は，個人の権利と自由を尊重する一方で，組織や企業が個人情報を適切に管理するための指針を提供する．

個人情報保護法は8つの章で構成される[2]（表1）．第1章から第3章までは目的や原則など，第4章には個人情報の取扱者が守るべき義務が定められている．

1) デジタル庁e-Gov：個人情報の保護に関する法律（https://elaws.e-gov.go.jp/document?lawid=415AC0000000057）2023年9月6日閲覧
2) 桑原博道：医療現場の個人情報保護Q&A, p16-19, セルバ出版, 2006.

COLUMN　個人情報取扱事業者とは？

個人情報保護法第2条第5項において，「個人情報データベースなどを事業の用に供している者」と定義されている．
例）病院などの医療機関，保険会社，学校などの教育機関など．

表1　個人情報保護法の構成

1	総則
2	国及び地方公共団体の責務等
3	個人情報の保護に関する施策等
4	個人情報保護取扱事業者の義務等
5	行政機関等の義務等
6	個人情報保護委員会
7	雑則
8	罰則

2 個人情報の種類について[3]

個人情報
データベース化されていない特定の個人が認識できるもの
例）氏名，住所，メールアドレス，電話番号，生年月日，身分証明書，健康状態，職種，アプリのユーザーネーム，写真，動画など

個人データ
個人情報データベースで検索できる情報
例）名簿を構成する氏名，誕生日，住所，電話番号など

保有個人データ
個人データのうち，個人情報取扱事業者が本人から依頼される「開示・訂正・削除など」に応じることが可能な権利を持つ情報

3) 個人情報保護法制研究会：個人情報保護法の解説（園部逸夫ほか編），第三次改訂版, p93-95, ぎょうせい, 2022.

> **COLUMN　匿名化とは？**
>
> 該当する個人情報や個人識別符号を特定の個人に関連付けづらい形に変換するプロセスである。匿名化によって，データセット内の個人を特定することが難しくなり，機密情報のリスクを低減することができる。
> 例）アルファベットや記号で表す：
> 　　太郎さん→Aさん，花子さん→Bさん，など

● 同意

同意は，個人情報の取り扱いに関する重要な概念のひとつである。個人情報の取り扱いについて，本人が自己の意思に基づいて明示的に同意することを指す。以下がポイントとなる。

自発性と明示性	同意は自発的である必要があり，本人が自分の情報を提供することに同意する意思を明確に示す必要がある。決して同意は強制されてはならない
同意を得る方法	文章や口頭での説明，ポスターやパンフレットなどを利用したオプトイン・オプトアウトの設定など適切な方法をとる
同意の撤回	本人はいつでも，同意を撤回する権利を持つ
本人以外の同意	未成年者の場合，法的な親権者や保護者の同意が必要な場合がある。未成年者は情報提供者としての能力が制約されることがあるため，その保護が必要である。本人が同意を得られない状況では，家族などに同意を得る必要がある

> **COLUMN**
>
> **オプトイン・オプトアウトとは**
>
> 「オプトイン」は個人データを第三者に提供するために，事前に本人の明確な同意をとること。
> 「オプトアウト」は本人から個人データの利用について明確な同意は得ないが，本人が利用停止を求めた場合に，第三者提供をやめるということ。

3　医療従事者の義務

● 理学療法士と個人情報保護

理学療法士及び作業療法士法（1965年），第16条において「秘密を守る義務」が定められている[4]。「理学療法士又は作業療法士は，正当な理由がある場合を除き，その業務上知り得た人の秘密を他に漏らしてはならない。理学療法士又は作業療法士でなくなった後においても，同様とする」。理学療法士として病院で得た患者又は家族に関する情報等は，他者に漏らさないように十分な配慮が必要となる。「守秘義務」と「個人情報保護」は理学療法士の必要最低限の倫理である。

4) 厚生労働省：理学療法士及び作業療法士法施行規則（https://www.mhlw.go.jp/web/t_doc?dataId=8003800）2023年9月6日閲覧

● 利用目的とその制限

個人情報を取り扱う際は，その利用目的をできる限り特定しなければならない。個人情報は，特定された利用目的以外で取り扱ってはならない。また，あらかじめ本人の同意を得ないで，特定された利用目的の達成に必要な範囲を超えて個人情報を取り扱ってはならないため，あらかじめ本人の同意が必要である。

医療機関における個人情報の利用目的（例）

医師や医療専門家による診断と治療	患者の過去の健康情報や病歴を参考にして，現在の症状と疾患を診断し治療計画を立てる際に個人情報が利用される
予約とアポイントメント管理	患者の予約やアポイントメントを管理し，スムーズな診療プロセスを支援するために利用される
処方と薬物管理	患者に適切な薬物や治療法を提案できることで，患者に合った治療が行われ，薬物の相互作用やアレルギーなどが避けられる
医療研究と統計分析	医療機関は医療研究や統計分析に貢献するため，匿名化された個人情報を用いることがある
保険請求と給付	医療機関は保険会社との連携を通じて診療費の請求や給付手続きを行う

● 利用目的の通知

個人情報がどのように利用されているかを速やかに本人に通知し，公表しなければならない。この通知は個人情報保護の原則の一部であり，透明性とプライバシー保護を確保するために重要である。

● データ内容の正確性の確保など

利用目的の達成に必要な範囲内において，個人データを正確かつ最新の内容に保つとともに，利用する必要がなくなったときは，当該個人データを遅滞なく消去するよう努めなければならない。

● 安全管理措置

安全管理措置とは，情報やデータを保護するために実施される対策や手順のことを指す。これにより患者の個人情報の漏洩，紛失，破損のリスクを最小限に抑えることができる。

適切な安全管理措置（例）

1	アクセス制御	情報へのアクセスを必要な職員に限定し，不正アクセスを防ぐための仕組みを導入する
2	データ暗号化とパスワードポリシー	情報を暗号化しデータ漏洩を防ぐ。強力なパスワードを使用し，定期的に変更するポリシーを実施する
3	ファイアウォールとセキュリティソフトウェア	ネットワークへの不正アクセスを防ぐためにファイアウォールやセキュリティソフトウェアを導入する
4	物理的セキュリティ	セキュリティカメラの設置，アクセスカードの使用，セキュリティスタッフの配置などを導入する
5	データバックアップ	定期的なデータバックアップを行い，データの損失や破壊を防ぐ
6	セキュリティ意識を高めるためのトレーニングと教育	セキュリティについての定期的なセミナーや問題発生時の対応についてのトレーニングなどを実施する
7	リスクアセスメント	システムの脆弱性を評価し，セキュリティリスクを特定して対策を実施する
8	セキュリティポリシーと規定	セキュリティに関するポリシーや規定を策定し，スタッフが遵守するよう確保する

● 第三者提供の制限

あらかじめ本人の同意を得ないで，個人データを第三者に提供してはならない。

● 保有個人データに関する事項の公表など

保有個人データに関して，求められた場合に「開示，訂正，利用停止」をしなければならない。

● 苦情の処理

苦情の適切かつ迅速な処理に努めなければならず，適切な体制の整備が必要となる。
例）電話，メール，ウェブフォーム等による苦情窓口の設置など

第三者提供の例外

法令に基づく場合
例）医療機関が診療記録などを他の医療機関や保険会社に提供する場合など

国や地方公共団体またはその委託を受けた者が法令の定める事務を遂行することに対して協力する必要がある場合
例）緊急医療対策や緊急避難が必要な状況の場合など

人の生命，身体または財産の保護のために必要がある場合
例）意識障害や認知機能低下など

公衆衛生の向上または児童の健全な育成の推進のために特に必要がある場合
例）自然災害等の緊急事態や感染症，児童虐待事例で保護者同意が得られない場合など

4 記録と報告

理学療法士は，患者の評価，治療，進捗状況，および治療計画に関する正確な記録と報告を作成・維持することが求められる。これらの記録と報告は，患者のケアを最適化し，治療の品質を確保するために非常に重要である。

理学療法士が扱う個人情報

理学療法士が扱う個人情報の例

患者基本情報
患者氏名，生年月日，住所など

医療履歴
例）患者の健康に関する情報

理学療法評価
例）関節可動域，筋力，認知機能など

治療計画・目標
例）治療プログラムや治療目標

診療記録・処方箋
例）治療の記録（カルテ情報など），薬の情報

個人的特徴
例）患者の性別，身長，体重，アレルギー，趣味など

5 臨床実習で注意する個人情報の取り扱い[5]（図1）

患者の個人情報は厳格にプライバシーを尊重し，他の患者や第三者と共有しない。また，病院関係者や指導者の個人情報についても共有しない。患者本人，家族などの第三者から診療に関わる内容（診断名や治療方針など）の説明を求められた際は，実習指導者に対応してもらう。

個人情報への適切なアクセス権を持ち，必要な情報にのみアクセスすべきである。病院で得た個人情報は持ち帰らない。紙媒体などの文書，電子レコード，データベースなどの個人情報を適切に保管し，不正アクセスや紛失から保護するためにセキュリティ対策を講じる必要がある。

写真や映像を撮影する場合，特に患者が識別可能な状況であれば，患者から事前に明示的な同意を得ることが必要である。スマートフォン等で撮影した動画や写真をSNS（X，TicTokなど）上に投稿してはならない。見学中にメモしたノート等の個人情報は実習終了とともにシュレッダー等で内容を消去する必要がある。

5) 千住秀明 監：理学療法概論（田原弘幸ほか編），第4版，九州神陵文庫，p178-179，2017.

図1 臨床実習生の症例レポート（例）

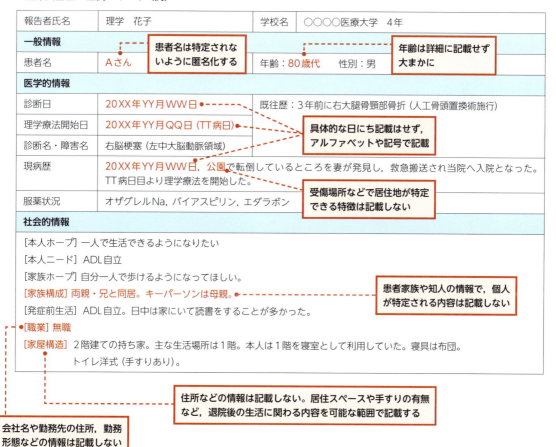

アクティブラーニングのヒント
▶「個人認識符号」と「要配慮個人情報」について調べてみよう。また，該当する身の回りの例を挙げてみよう。

個人情報保護委員会HP (https://www.ppc.go.jp/index.html)

アクティブラーニングのヒント
▶日本理学療法士協会が提唱する，臨床実習生の個人情報の取り扱いについて調べ，理解を深めよう。

日本理学療法士協会 臨床実習教育の手引き，第6版，p27-31
(https://www.japanpt.or.jp/activity/books/education_01/)

救命措置（一次救命処置）

POINT

- 患者や利用者が心肺停止状態になった場合には，一次救命処置（BLS） を行う。
- BLSは，自動体外式除細動器（AED）以外に特別な機器を必要としない利点がある。
- 心肺停止状態から心肺蘇生開始，あるいは除細動実施までの時間が長くなると生存確率は低下し，また蘇生しても障害が残存する[1] 。
- 在宅など医師のいない場や，重症患者に対して理学療法を行う機会も増えてきており，BLSを学ぶ必要がある。

1）総務省消防庁：令和4年版 救急救助の現況．（https://www.fdma.go.jp/publication/rescue/post-4.html）

一次救命処置（BLS）の流れ

人が倒れた！ 倒れている人を発見！

① 傷病者を発見したら，傷病者の肩を軽く叩いて，大声で「大丈夫ですか」とたずねる。

「大丈夫ですか」

② 傷病者の反応がない場合は，大声で助けを呼ぶ。救急対応システムへ通報，あるいは通報を依頼する。また救急カート，AEDを持ってくるよう依頼する。

「そこのあなた。119番通報してください」
「そこのあなた。AEDを持ってきてください」

③ 普段通りの呼吸があるかを見て，聞いて，感じて，確認する。

普段通りの呼吸はあるか？ 胸の動きをみる，感じる，聞いてみよう。

④ 呼吸がない，あえぎ呼吸あるいは判断に迷う場合は，直ちに胸骨圧迫を開始する。胸骨圧迫は，胸の中央部（乳頭と乳頭を結ぶ線の真ん中）を，約100／分の速さで，胸が5cm程度沈む強さで，絶え間なく圧迫する。

呼吸がない。AEDが到着するまで，胸骨圧迫を開始し，繰り返そう。「1，2，3……30」

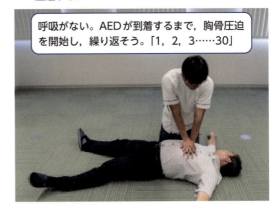

⑤ AEDが到着したら，すぐに電源を入れ，音声ガイダンスに従ってパッドを貼る・体から離れるなどの行動をする。AED解析時は患者に触れない。

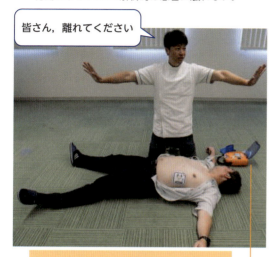

皆さん，離れてください

パッドをフィルムから剥がしてください。パッドを青いシートからはがして，図のように右胸と左わき腹に貼ってください。心電図を調べています。患者に触れないでください。解析中です……患者に触れないでください

⑥ AEDの音声ガイダンスから，ショックボタンを押すなどの指示があれば，要救助者から人が離れたのを確認してから，ショックボタンを押す。
電気ショック後は，すぐに胸骨圧迫④を再開する。

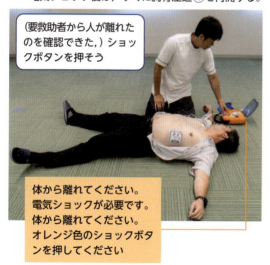

（要救助者から人が離れたのを確認できた，）ショックボタンを押そう

体から離れてください。電気ショックが必要です。体から離れてください。オレンジ色のショックボタンを押してください

救急隊が到着するまで④⑤⑥を繰り返す。

ア クティブラーニングのヒント

▶ あえぎ呼吸（死線呼吸）を調べてみよう。
▶ 胸骨圧迫をする位置，構え，方向，タイミングを調べてみよう。

2 心肺機能停止から蘇生までに要した時間の影響[1]

心肺機能停止が目撃されてから心肺蘇生開始までの時間が10分を超えると，時間の経過とともに生存も社会復帰も，可能性は低下する（図1・2）。

図1 一般市民が目撃した心原性心肺機能停止傷病者のうち，救急隊が心肺蘇生を開始した時間別の生存率（10カ年集計）

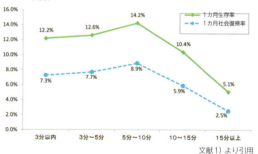

	3分以内	3分～5分	5分～10分	10～15分	15分以上
1カ月生存率	12.2%	12.6%	14.2%	10.4%	5.1%
1カ月社会復帰率	7.3%	7.7%	8.9%	5.9%	2.5%

文献1）より引用

図2 一般市民が心原性心肺機能停止の時点を目撃し，かつ初期心電図波形が心室細動または無脈性心室頻脈の傷病者（10カ年集計）

	3分以内	3分～5分	5分～10分	10～15分	15分以上
1カ月生存率	39.0%	40.0%	40.4%	31.8%	19.7%
1カ月社会復帰率	27.1%	27.9%	28.3%	20.6%	11.8%

文献1）より引用

COLUMN 安全管理

心肺停止に至らないまでも，理学療法中には意識の低下をきたしたり，転倒したりするなどの有害事象が起こりうる。いざというときに慌ててしまい対応ができないのでは，安全・安心な理学療法は提供できない。安全管理として，転倒や心肺停止が発生したときに対応するシミュレーション訓練を定期的に行い，また蘇生に必要な機器の設置場所を把握しておく。

理学療法士及び作業療法士法

【理学療法士及び作業療法士法】[1]

（昭和四十年六月二十九日）
（法律第百三十七号）

第四十八回通常国会　第一次佐藤内閣　理学療法士及び作業療法士法をここに公布する。

[目次]

第一章　総則（第一条・第二条）
第二章　免許（第三条 − 第八条）
第三章　試験（第九条 − 第十四条）
第四章　業務等（第十五条 − 第十七条の二）
第五章　理学療法士作業療法士試験委員（第十八条・第十九条）
第六章　罰則（第二十条 − 第二十二条）
附則

1) 厚生労働省：理学療法士及び作業療法士法．(https://www.mhlw.go.jp/web/t_doc？dataId＝80038000) 2023年10月閲覧

第一章　総則

（この法律の目的）
第一条　この法律は，理学療法士及び作業療法士の資格を定めるとともに，その業務が，適正に運用されるように規律し，もつて医療の普及及び向上に寄与することを目的とする。

（定義）
第二条　この法律で「理学療法」とは，身体に障害のある者に対し，主としてその基本的動作能力の回復を図るため，治療体操その他の運動を行なわせ，及び電気刺激，マツサージ，温熱その他の物理的手段を加えることをいう。

2　この法律で「作業療法」とは，身体又は精神に障害のある者に対し，主としてその応用的動作能力又は社会的適応能力の回復を図るため，手芸，工作その他の作業を行なわせることをいう。

3　この法律で「理学療法士」とは，厚生労働大臣の免許を受けて，理学療法士の名称を用いて，医師の指示の下に，理学療法を行なうことを業とする者をいう。

4　この法律で「作業療法士」とは，厚生労働大臣の免許を受けて，作業療法士の名称を用いて，医師の指示の下に，作業療法を行なうことを業とする者をいう。

（平一一法一六〇・一部改正）

第二章　免許

（免許）
第三条　理学療法士又は作業療法士になろうとする者は，理学療法士国家試験又は作業療法士国家試験に合格し，厚生労働大臣の免許（以下「免許」という。）を受けなければならない。

（平一一法一六〇・一部改正）

（欠格事由）
第四条　次の各号のいずれかに該当する者には，免許を与えないことがある。
一　罰金以上の刑に処せられた者
二　前号に該当する者を除くほか，理学療法士又は作業療法士の業務に関し犯罪又は不正の行為があつた者
三　心身の障害により理学療法士又は作業療法士の業務を適正に行うことができない者として厚生労働省令で定めるもの
四　麻薬，大麻又はあへんの中毒者

（平一三法八七・一部改正）

(理学療法士名簿及び作業療法士名簿)
第五条 厚生労働省に理学療法士名簿及び作業療法士名簿を備え,免許に関する事項を登録する。

　　　　　　　　　　(平一一法一六〇・一部改正)

(登録及び免許証の交付)
第六条 免許は,理学療法士国家試験又は作業療法士国家試験に合格した者の申請により,理学療法士名簿又は作業療法士名簿に登録することによつて行う。
2　厚生労働大臣は,免許を与えたときは,理学療法士免許証又は作業療法士免許証を交付する。

　　　　　(平一一法一六〇・平一三法八七・一部改正)

(意見の聴取)
第六条の二　厚生労働大臣は,免許を申請した者について,第四条第三号に掲げる者に該当すると認め,同条の規定により免許を与えないこととするときは,あらかじめ,当該申請者にその旨を通知し,その求めがあつたときは,厚生労働大臣の指定する職員にその意見を聴取させなければならない。

　　　　　　　　　　　　(平一三法八七・追加)

(免許の取消し等)
第七条　理学療法士又は作業療法士が,第四条各号のいずれかに該当するに至つたときは,厚生労働大臣は,その免許を取り消し,又は期間を定めて理学療法士又は作業療法士の名称の使用の停止を命ずることができる。
2　都道府県知事は,理学療法士又は作業療法士について前項の処分が行なわれる必要があると認めるときは,その旨を厚生労働大臣に具申しなければならない。
3　第一項の規定により免許を取り消された者であつても,その者がその取消しの理由となつた事項に該当しなくなつたとき,その他その後の事情により再び免許を与えるのが適当であると認められるに至つたときは,再免許を与えることができる。この場合においては,第六条の規定を準用する。
4　厚生労働大臣は,第一項又は前項に規定する処分をしようとするときは,あらかじめ,医道審議会の意見を聴かなければならない。

　　　　(昭四四法五一・平五法八九・平一一法一六〇・
　　　　　平一三法八七・一部改正)

(政令への委任)
第八条　この章に規定するもののほか,免許の申請,理学療法士名簿及び作業療法士名簿の登録,訂正及び消除並びに免許証の交付,書換え交付,再交付,返納及び提出に関し必要な事項は,政令で定める。

第三章　試験

(試験の目的)
第九条　理学療法士国家試験又は作業療法士国家試験は,理学療法士又は作業療法士として必要な知識及び技能について行なう。

(試験の実施)
第十条　理学療法士国家試験及び作業療法士国家試験は,毎年少なくとも一回,厚生労働大臣が行なう。

　　　　　　　　　　(平一一法一六〇・一部改正)

(理学療法士国家試験の受験資格)
第十一条　理学療法士国家試験は,次の各号のいずれかに該当する者でなければ,受けることができない。
一　学校教育法(昭和二十二年法律第二十六号)第九十条第一項の規定により大学に入学することができる者(この号の規定により文部科学大臣の指定した学校が大学である場合において,当該大学が同条第二項の規定により当該大学に入学させた者を含む。)で,文部科学省令・厚生労働省令で定める基準に適合するものとして,文部科学大臣が指定した学校又は都道府県知事が指定した理学療法士養成施設において,三年以上理学療法士として必要な知識及び技能を修得したもの
二　作業療法士その他政令で定める者で,文部科学省令・厚生労働省令で定める基準に適合するものとして,文部科学大臣が指定した学校又は都道府県知事が指定した理学療法士養成施設において,二年以上理学療法に関する知識及び技能を修得したもの
三　外国の理学療法に関する学校若しくは養成施設を卒業し,又は外国で理学療法士の免許に相当する免許を受けた者で,厚生労働大臣が前二号に掲げる者と同等以上の知識及び技能を有すると認定したもの

　　　　(平三法二五・平一一法一六〇・平一三法一〇五・
　　　　　平一九法九六・平二六法五一・一部改正)

(作業療法士国家試験の受験資格)
第十二条　作業療法士国家試験は,次の各号のいずれかに該当する者でなければ,受けることができない。
一　学校教育法第九十条第一項の規定により大学に入学することができる者(この号の規定により文部科学大臣

の指定した学校が大学である場合において，当該大学が同条第二項の規定により当該大学に入学させた者を含む。）で，文部科学省令・厚生労働省令で定める基準に適合するものとして，文部科学大臣が指定した学校又は都道府県知事が指定した作業療法士養成施設において，三年以上作業療法士として必要な知識及び技能を修得したもの

二　理学療法士その他政令で定める者で，文部科学省令・厚生労働省令で定める基準に適合するものとして，文部科学大臣が指定した学校又は都道府県知事が指定した作業療法士養成施設において，二年以上作業療法に関する知識及び技能を修得したもの

三　外国の作業療法に関する学校若しくは養成施設を卒業し，又は外国で作業療法士の免許に相当する免許を受けた者で，厚生労働大臣が前二号に掲げる者と同等以上の知識及び技能を有すると認定したもの

　　　　　（平三法二五・平一一法一六〇・平一三法一〇五・
　　　　　　平一九法九六・平二六法五一・一部改正）

(医道審議会への諮問)

第十二条の二　厚生労働大臣は，理学療法士国家試験又は作業療法士国家試験の科目又は実施若しくは合格者の決定の方法を定めようとするときは，あらかじめ，医道審議会の意見を聴かなければならない。

2　文部科学大臣又は厚生労働大臣は，第十一条第一号若しくは第二号又は前条第一号若しくは第二号に規定する基準を定めようとするときは，あらかじめ，医道審議会の意見を聴かなければならない。

　　　　　（平一一法一六〇・追加）

(不正行為の禁止)

第十三条　理学療法士国家試験又は作業療法士国家試験に関して不正の行為があつた場合には，その不正行為に関係のある者について，その受験を停止させ，又はその試験を無効とすることができる。この場合においては，なお，その者について，期間を定めて理学療法士国家試験又は作業療法士国家試験を受けることを許さないことができる。

(政令及び厚生労働省令への委任)

第十四条　この章に規定するもののほか，第十一条第一号及び第二号の学校又は理学療法士養成施設の指定並びに第十二条第一号及び第二号の学校又は作業療法士養成施設の指定に関し必要な事項は政令で，理学療法士国家試験又は作業療法士国家試験の科目，受験手続，受験手数料その他試験に関し必要な事項は厚生労働省令で定める。

　　　　　（平一一法八七・全改，平一一法一六〇・一部改正）

第四章　業務等

　　　　　（平一一法一六〇・改称）

(業務)

第十五条　理学療法士又は作業療法士は，保健師助産師看護師法（昭和二十三年法律第二百三号）第三十一条第一項及び第三十二条の規定にかかわらず，診療の補助として理学療法又は作業療法を行なうことを業とすることができる。

2　理学療法士が，病院若しくは診療所において，又は医師の具体的な指示を受けて，理学療法として行なうマッサージについては，あん摩マッサージ指圧師，はり師，きゆう師等に関する法律（昭和二十二年法律第二百十七号）第一条の規定は，適用しない。

3　前二項の規定は，第七条第一項の規定により理学療法士又は作業療法士の名称の使用の停止を命ぜられている者については，適用しない。

　　　　　（昭四五法一九・平一三法一五三・一部改正）

(秘密を守る義務)

第十六条　理学療法士又は作業療法士は，正当な理由がある場合を除き，その業務上知り得た人の秘密を他に漏らしてはならない。理学療法士又は作業療法士でなくなつた後においても，同様とする。

(名称の使用制限)

第十七条　理学療法士でない者は，理学療法士という名称又は機能療法士その他理学療法士にまぎらわしい名称を使用してはならない。

2　作業療法士でない者は，作業療法士という名称又は職能療法士その他作業療法士にまぎらわしい名称を使用してはならない。

(権限の委任)

第十七条の二　この法律に規定する厚生労働大臣の権限は，厚生労働省令で定めるところにより，地方厚生局長に委任することができる。

2　前項の規定により地方厚生局長に委任された権限は，厚生労働省令で定めるところにより，地方厚生支局長に

委任することができる。

(平一一法一六〇・追加)

第五章　理学療法士作業療法士試験委員

(昭四四法五一・改称)

(理学療法士作業療法士試験委員)

第十八条　理学療法士国家試験及び作業療法士国家試験に関する事務をつかさどらせるため，厚生労働省に理学療法士作業療法士試験委員を置く。
2　理学療法士作業療法士試験委員に関し必要な事項は，政令で定める。

(昭四四法五一・全改，平一一法一六〇・一部改正)

(試験事務担当者の不正行為の禁止)

第十九条　理学療法士作業療法士試験委員その他理学療法士国家試験又は作業療法士国家試験に関する事務をつかさどる者は，その事務の施行に当たつて厳正を保持し，不正の行為がないようにしなければならない。

(昭四四法五一・一部改正)

第六章　罰則

(平一三法八七・全改)

第二十条　前条の規定に違反して，故意若しくは重大な過失により事前に試験問題を漏らし，又は故意に不正の採点をした者は，一年以下の懲役又は五十万円以下の罰金に処する。

(平一三法八七・全改)

第二十一条　第十六条の規定に違反した者は，五十万円以下の罰金に処する。
2　前項の罪は，告訴がなければ公訴を提起することができない。

(平一三法八七・全改)

第二十二条　次の各号のいずれかに該当する者は，三十万円以下の罰金に処する。
一　第七条第一項の規定により理学療法士又は作業療法士の名称の使用の停止を命ぜられた者で，当該停止を命ぜられた期間中に，理学療法士又は作業療法士の名称を使用したもの
二　第十七条の規定に違反した者

(平一三法八七・全改)

附則

附　則　抄

(施行期日)

1　この法律は，公布の日から起算して六十日を経過した日から施行する。ただし，第五章の規定は公布の日から，第十条の規定は昭和四十一年一月一日から施行する。

(免許の特例)

2　厚生労働大臣は，外国で理学療法士の免許に相当する免許を受けた者又は作業療法士の免許に相当する免許を受けた者であつて，理学療法士又は作業療法士として必要な知識及び技能を有すると認定したものに対しては，第三条の規定にかかわらず，当分の間，理学療法士又は作業療法士の免許を与えることができる。この場合における第六条第一項の規定の適用については，同項中「理学療法士国家試験又は作業療法士国家試験に合格した者の申請により」とあるのは，「外国で理学療法士の免許に相当する免許を受けた者又は作業療法士の免許に相当する免許を受けた者であつて，理学療法士又は作業療法士として必要な知識及び技能を有すると厚生労働大臣が認定したものの申請により」とする。

(平一一法一六〇・平一三法八七・一部改正)

(受験資格の特例)

3　この法律施行の際現に理学療法士又は作業療法士として必要な知識及び技能を修得させる学校又は施設であつて，文部大臣又は厚生大臣が指定したものにおいて，理学療法士又は作業療法士として必要な知識及び技能を修業中であり，この法律の施行後その学校又は施設を卒業した者は，第十一条又は第十二条の規定にかかわらず，それぞれ理学療法士国家試験又は作業療法士国家試験を受けることができる。
4　この法律の施行の際現に病院，診療所その他省令で定める施設において，医師の指示の下に，理学療法又は作業療法を業として行なつている者であつて，次の各号に該当するに至つたものは，昭和四十九年三月三十一日までは，第十一条又は第十二条の規定にかかわらず，それぞれ理学療法士国家試験又は作業療法士国家試験を受けることができる。
一　学校教育法第五十六条第一項の規定により大学に入学することができる者又は政令で定める者
二　厚生大臣が指定した講習会の課程を修了した者
三　病院，診療所その他省令で定める施設において，医

師の指示の下に,理学療法又は作業療法を五年以上業として行なつた者

（昭四六法二八・一部改正）

5　前項に規定する者については,第十四条の規定に基づく理学療法士国家試験又は作業療法士国家試験に関する省令において,科目その他の事項に関し必要な特例を設けることができる。

6　旧中等学校令（昭和十八年勅令第三十六号）による中等学校を卒業した者又は厚生労働省令の定めるところによりこれと同等以上の学力があると認められる者は,第十一条第一号及び第十二条第一号の規定の適用については,学校教育法第九十条第一項の規定により大学に入学することができる者とみなす。

（平三法二五・平一一法一六〇・平一三法一〇五・平一九法九六・一部改正）

（以下,附則省略）

COLUMN　政令, 省令・府令

義務や権利についての定めを「法令」という。

1. **国が定めた法令**
   ①法律：国会が定めた法令
   ②政令：内閣が定めた法令
   ③省令・府令：各省・府の大臣が定めた法令

⇒「理学療法士及び作業療法士法」中に「政令で定める／省令で定める」との表現が複数あり,それに基づく法令（委任命令）として政令「理学療法士及び作業療法士法施行令」,省令「理学療法士及び作業療法士法施行規則」,「理学療法士作業療法士学校養成施設指定規則」が定められている。

2. **自治体が定めた法令**
   ①条例
   ②規則

3. **法令ではないもの**
   ガイドライン,要綱,要項,通達,告示

付録 PTOT法全文

INDEX

あ行

- 挨拶 … 85
- 安全衛生 … 94
- 安全管理 … 132, 141
- 安全管理措置 … 138
- 言い回し … 86
- 医師 … 19
- 医師の指示の下 … 2, 19
- 維持期 … 9
- 移乗動作 … 33
- 移乗動作練習 … 51
- 痛みの治療 … 66
- 一元配置分散分析 … 104
- 一次救命措置 … 140
- 一次予防 … 81
- 医療事故 … 132
- 医療従事者の義務 … 137
- 医療ソーシャルワーカー … 19
- 医療費の一部負担 … 111
- 医療保険 … 4, 110
- 医療面接 … 88
- インシデント … 133
- インフォームド・コンセント … 88, 91
- ウィルコクソンの符号付順位検定 … 104
- 後向き研究 … 99
- 運動学習 … 31
- 運動器疾患 … 4
- 運動器リハビリテーション料 … 113
- 運動麻痺 … 22
- 運動様式 … 21
- 運動療法 … 2
- エアロゾル感染 … 134
- エビデンス … 70
- エビデンスのレベル … 70, 99
- エラー … 133
- 遠心性収縮 … 20
- 横断研究 … 98
- 起き上がり … 32, 35
- お辞儀 … 85
- オプトイン・オプトアウト … 137
- 温熱 … 2

か行

- 臥位 … 32
- 開業権 … 5, 130
- 介護給付を行うサービス … 117
- 介護・疾病予防 … 10
- 介護報酬 … 118
- 介護保険 … 5, 115
- 介護保険サービス … 117
- 介護保険施設 … 9, 10
- 介護予防 … 64
- 介護予防サービス … 119
- 介護老人保健施設 … 9
- 介入 … 129
- 介入研究 … 96
- 回復期 … 9
- 回復期リハビリテーション病院 … 18
- 回復期リハビリテーション病棟 … 8
- 可逆性の原則 … 21
- 学習 … 34
- 拡大日常生活活動 … 41
- 過誤 … 132
- 学校, 大学院, 研究機関 … 11
- 過負荷の原則 … 21
- 通いの場 … 65
- 加齢 … 5
- がん … 62
- 感覚 … 30
- 間隔尺度 … 101
- 看護師 … 19
- 観察研究 … 96
- 患者教育 … 67
- 関節可動域 (ROM) … 24, 34
- 関節可動域練習 … 50
- 感染経路 … 134
- 感染成立の3要因と対策 … 134
- 感染予防 … 134
- 感度 … 106
- カンファレンス … 18
- 緩和ケア … 62
- 偽陰性 … 106
- 企業, 団体 … 11
- 起居動作練習 … 51
- 義肢 … 36
- 義肢装具士 … 19
- 記述的研究 … 98
- 基本的動作能力の回復 … 2
- 基本的日常生活活動 … 41
- 基本統計量 … 100
- 基本動作と身体機能 … 34
- 基本動作練習 … 32, 34
- 帰無仮説 … 102
- 求心性収縮 … 20
- 急性期 … 9

急性期対応	55
救命措置	140
業	109
偽陽性	106
居宅介護サービス	119
居宅介護支援事業所	10
記録	138
筋緊張異常	27
筋収縮様式の分類	20
筋力	34
筋力増強トレーニング	20
筋力低下	20
空気感染	134
クラスカル・ウォリス検定	104
クリティカルパス	72
車いす	36, 38
車いす駆動練習	51
系統誤差	103
傾聴	87
ケースコントロール研究	99
血液媒介感染	134
研究デザイン	96
健康寿命	65
健康増進	5, 64, 129
言語聴覚士	19
言語聴覚士法	108
高次脳機能	30
厚生労働省PT・OT需給推計	126
呼吸器疾患	4, 58
呼吸器リハビリテーション料	113
国際障害分類（ICIDH）	74
国際生活機能分類（ICF）	74
誤差の種類	102
個人情報保護法	136
個人防護用具	135
国家試験	16
国家試験合格率	6
言葉遣い	86
コホート研究	99
コミュニケーション	67, 87
コンプライアンス	133

さ行

座位	32
最頻値	101
作業療法士	19
産業衛生	94
三次予防	81
四肢麻痺	50
システマティックレビュー	99
施設基準	112
疾患別リハビリテーション料	111
視能訓練士	19
自発性と明示性	137
社会におけるPTの今後の展望	129
社会福祉士	19
市役所など行政機関	11
尺度	101
シャピロ・ウィルク検定	103
重回帰分析	105
住宅改修	118
縦断研究	98
終末期	9
手指衛生	135
手段的日常生活活動	41
循環器疾患	58
順序尺度	101
障がい	74
障害者（児）支援施設	9
生涯にわたる研鑽	83
小児疾患	56
職業倫理	82
職場	8
褥瘡予防教育	51
女性のライフステージ	5
除痛	66
自立生活運動（IL運動）	78, 116
真陰性	106
シングルケーススタディ	99
シングルケースデザイン	97
神経疾患	46, 48, 50
心大血管疾患	4
心大血管疾患リハビリテーション料	113
靱帯断裂	54
心肺機能停止から蘇生までに要した時間の影響	141
真陽性	106
診療ガイドライン	72
診療記録	68
診療参加型臨床実習	16
診療報酬	110
スイスチーズモデル	133
スクリーニング検査	107
ストレッチング	25
スピアマンの順位相関係数	104
スポーツ	5, 11
スポーツ外傷	54
生活の質（QOL）	78
生活習慣病	64

生活習慣病の予防	5
正規分布	102
整形疾患	52, 54
精神保健福祉士	19
世界の理学療法の歴史	120, 130
脊髄損傷	50
接遇	84, 88
接触感染	134
装具	36, 37
測定誤差	102
その他の物理的手段	2

た行

第1種の過誤	103
対応のあるt検定	104
対応のないt検定	103
対立仮説	102
立ち上がり	33
立ち直り反応	31
単位	111
単回帰分析	105
端座位バランス練習	51
地域支援事業	117
地域包括ケアシステム	114
地域包括支援センター	11
地域リハビリテーション活動支援事業	65
中央値	101
中枢神経疾患	46, 48, 50
中枢性麻痺	22
長座位バランス練習	50
治療	129
治療体操などの運動	2
対麻痺	50
通所	9
通所介護（デイサービス）施設	10
通所・介護予防通所リハビリテーションの要件	119
通所リハビリテーション（デイケア）施設	8, 9
杖	36, 38
データ統合型研究	99
電気刺激	2
点数	111
トイレ動作	42
同意	137
同意の撤回	137
同意を得る方法	137
統計	100
統計学的検定	102
統計手法	103
等尺性収縮	20, 21

等速性収縮	21
等張性収縮	21
疼痛	27
疼痛緩和	66
糖尿病	60
特異性の原則	21
特異度	106
匿名化	137
特別支援学校	11
特養（特別養護老人ホーム）	10
徒手療法	2, 26, 67
都道府県理学療法士会	123

な行

内科的疾患	58, 60
二元配置分散分析	104
二次予防	81
日常生活活動（ADL）	40, 76
日常生活活動練習	40
日常生活関連活動	41
日本における理学療法の伝来	120
日本理学療法学会連合（JSPT）	123
日本理学療法士協会（JPTA）	122
日本理学療法士連盟（JPTF）	123
寝返り	32
脳血管疾患等	4
脳血管疾患等リハビリテーション料	113
脳卒中	46
ノーマライゼーション	79
ノンパラメトリック検定	105

は行

パーキンソン病	48
廃用症候群	4, 44
ハインリッヒの法則	133
罰金	109
発達支援	5
ハビリテーション	129
ハラスメント	92
パラメトリック検定	105
バランス	30
バリアフリー	80
パレートの法則	133
範囲	101
反復測定分散分析	104
ピアソンの相関係数	104
膝の靱帯損傷	54
皮質脊髄路	22
比尺度	101

非正規分布	102
飛沫感染	134
病院・診療所	8
標準偏差	100
標準予防策	135
表情	84
フィットネス	5, 64
福祉用具	118
フットケア	60
物理療法	2, 26, 67
フリードマン検定	104
ふるまい	84
フレイル	65
分析的観察研究	98
平均値	100
平衡反応	31
ヘルスリテラシー	129
変形性膝関節症	52
報告	138
訪問・介護予防訪問リハビリテーションの要件	119
訪問リハビリテーション施設	9, 10
保険診察の流れ	110
歩行	33
歩行器	39
本人以外の同意	137

ま行

前向き研究	99
マッサージ	2, 67
麻痺の回復促進	22
マン・ホイットニーのU検定	103
慢性期	9
身だしなみ	84
無誤学習	35, 42
名義尺度	101
名称独占	2, 109
メタアナリシス	99
メラビアンの法則	87
面接技術	89

や行

薬剤師	19
有害事象	133
尤度比	107
ユニバーサルデザイン	80
要介護	5, 116, 119
要支援	5, 116, 119
養成施設	14
予防	129

予防給付を行うサービス	117

ら行

ランダム化比較試験	96
理学療法ガイドライン	71
理学療法士及び作業療法士法	2, 12, 108, 142
理学療法士の数	6
理学療法士の給与	7
理学療法士の施設別就業者・施設数	8
理学療法士の団体	122
理学療法哲学	13
理学療法の意味・必要性	12
理学療法の起源	120
理学療法の需要	126
理学療法の定義	12
リスク管理	132
リスク比	107
立位	32
リハビリテーション	129
リハビリテーション室	112
リハビリテーション関連職種	18
リラクゼーション	66
臨床実習	15
臨床実習で注意する個人情報の取り扱い	138
臨床数論	68
倫理綱領	82
歴史	120
レンタルできるもの	119
老健（老人保健施設）	9

数字・アルファベット

2標本t検定	103
ACL再建術	55
ADL（日常生活活動）	40, 76
AED（自動体外式除細動器）	140
APDL（日常生活関連動作）	41
BLS（一次救命措置）	140
Direct Access	130
EBM	70
EBPT	70
ICF（国際生活機能分類）	74
ICIDH（国際障害分類）	74
PTOT法	2, 12, 108, 142
QOL（生活の質）	78
ROM（関節可動域）	24
RPT	12
SOAP	68
ST法	108

改訂第2版
PTスタートガイド　基礎理学療法概論

2018年2月10日　第1版第1刷発行
2024年1月10日　第2版第1刷発行

- ■ 監　修　　網本　和　あみもと　かず
- ■ 編　集　　加藤宗規　かとう　むねのり
- ■ 発行者　　吉田富生
- ■ 発行所　　株式会社メジカルビュー社
　　　　　　〒162-0845　東京都新宿区市谷本村町2-30
　　　　　　電話　03(5228)2050(代表)
　　　　　　ホームページ　https://www.medicalview.co.jp

　　　　　　営業部　FAX　03(5228)2059
　　　　　　　　　　E-mail　eigyo@medicalview.co.jp

　　　　　　編集部　FAX　03(5228)2062
　　　　　　　　　　E-mail　ed@medicalview.co.jp

- ■ 印刷所　　株式会社シナノ印刷

ISBN 978-4-7583-2256-0　C3047

©MEDICAL VIEW, 2024. Printed in Japan

- ・本書に掲載された著作物の複写・複製・転載・翻訳・データベースへの取り込みおよび送信(送信可能化権を含む)・上映・譲渡に関する許諾権は，(株)メジカルビュー社が保有しています．
- ・JCOPY〈出版者著作権管理機構　委託出版物〉
本書の無断複製は著作権法上での例外を除き禁じられています．複製される場合は，そのつど事前に，出版者著作権管理機構(電話 03-5244-5088，FAX 03-5244-5089，e-mail：info@jcopy.or.jp)の許諾を得てください．
- ・本書をコピー，スキャン，デジタルデータ化するなどの複製を無許諾で行う行為は，著作権法上での限られた例外(「私的使用のための複製」など)を除き禁じられています．大学，病院，企業などにおいて，研究活動，診察を含み業務上使用する目的で上記の行為を行うことは私的使用には該当せず違法です．また私的使用のためであっても，代行業者等の第三者に依頼して上記の行為を行うことは違法となります．